Clara Ann Simons

No podré olvidarte

Novela lésbica

Clara Ann Simons

No podré olvidarte

Novela lésbica

Clara Ann Simons

Copyright © 2021 por Clara Ann Simons.

Todos los Derechos Reservados.

Registrada 26/08/2021 con el número **2108269041913**

Para más información, o si quieres saber sobre nuevas publicaciones, por favor contactar vía correo electrónico en claraannsimons@gmail.com

http://www.clarasimons.com

Twitter: @claraannsimons1

Índice

Capítulo 1

ANA

Seco el sudor que recorre mi frente, apartando de un soplido un mechón de pelo rebelde que tapa mi ojo derecho. Llenando los pulmones, inspiro una gran cantidad de aire y lo voy soltando poco a poco, dejándome envolver en la tranquilidad de los majestuosos valles Pasiegos y el calor de los rayos de sol sobre mi rostro.

Tenemos pocos días tan buenos como este a lo largo del año, supongo que un pequeño precio a pagar por vivir en el norte de España, aunque recrearse en estas vistas desde mi lugar de trabajo, bien merecen la pena; preciosos valles, verdes pastizales que se pierden en la lejanía hasta las lomas de las montañas, gente noble y reservada.

Tampoco es que me hayan molestado nunca el mal tiempo o la lluvia. De no ser por ella no disfrutaríamos del maravilloso color verde que nos rodea y siempre he sido feliz trabajando la tierra, preparando los semilleros o cuidando de los plantones.

Perezosamente, estiro la espalda como si fuese un gato y sacudo la tierra de mis pantalones, observando el invernadero de fresas ecológicas en el que he estado trabajando en las últimas cinco horas. Ya tengo listos los bancales profundos, cubiertos con un plástico para evitar las malas hierbas antes de colocar uno a uno los plantones, lo que me ha dejado la parte baja de la espalda para el arrastre.

La bruja que dirige la empresa de productos ecológicos para la que trabajo sigue con su recorte de gastos de personal y el tiempo apremia. La climatología nos permite tener fresas en unos meses en los que los productores de otras zonas del país ya no las tienen, pero su cultivo no puede esperar.

Al salir del invernadero, coloco la mano derecha a modo de visera sobre mis ojos, cerrándolos ligeramente para acomodarlos a la luz del sol mientras una ráfaga de brisa veraniega ayuda a secar la capa de sudor sobre mi piel bronceada por las horas de trabajo a la intemperie.

Casi sin pretenderlo, mis pensamientos regresan a mi abuelo. Ha sido él quien me infundió el amor por la naturaleza y el cuidado del medio ambiente. Los recuerdos más felices de mi infancia se remontan a su lado, a aquellos días en los que me enseñaba los nombres de las diferentes plantas y su cuidado. Gran parte de lo que sé sobre agricultura ecológica se lo debo a él y ahora se ha convertido en mi trabajo. Son jornadas duras y no están bien pagadas, pero disfruto cada día. ¿Qué más se puede pedir?

"Patricia", su nombre regresa a mi cabeza cada vez que bajo las barreras y me relajo. Dejo escapar un suspiro y sacudo la cabeza como queriendo borrar ese pensamiento de mi memoria, como si eso fuese posible.

Poco a poco voy consiguiendo olvidarla, ya ha dejado de ser el pensamiento recurrente que me atormentaba día y noche. No consigo borrarla por completo, quizá nunca pueda, pero al menos, cuando estoy ocupada, no pienso constantemente en ella. Algo muy diferente es volver a casa y encontrarla vacía, sin su presencia. Es entonces cuando me llena un vacío difícil de manejar.

Joder, Patri era increíble. Piernas largas, culo maravilloso y pechos perfectos. Una piel inmaculada, vientre imposiblemente plano y un cabello tan fino que me hacía enloquecer cada vez que lo peinaba entre mis dedos. Han pasado varios meses y no logro olvidar esos profundos ojos azules observándome a través de las pestañas más largas que haya visto en una mujer.

Patricia era hermosa sin esfuerzo. Ni siquiera necesitaba maquillaje, aunque en ocasiones lo llevaba a fuerza de costumbre. No importaba lo que se pusiese encima, siempre estaba tan guapa que podría desfilar en una pasarela.

Pero, mucho más importante que su físico era su personalidad; una mezcla entre timidez y dulzura, aderezados a veces con justas dosis de arrogancia y cabezonería que la hacían irresistible. Y su sonrisa... joder, ¡qué sonrisa!

Cuando nos presentaron, esa sonrisa fue lo primero que llamó mi atención. Me cautivó y, a partir de ese momento, amé cada minuto que pasamos juntas. Eran días sencillos, de sofá y manta mientras hacíamos maratones de series en Netflix. Días de reír, de bailar desnudas al son del ritmo de su último descubrimiento musical; las persianas bajadas, las luces apagadas, nuestros cuerpos iluminados por velas o lámparas de lava.

Patricia era mi alma gemela, la mujer que me hacía feliz, la que me llenaba por completo, aquella junto a la que quería envejecer. Y, de repente...desapareció.

Sí, justo así. Un día, al volver del trabajo, ya no estaba. Se esfumó con todas sus cosas, dejando un vacío en mi vida tan doloroso que apenas conseguía respirar. Ni una llamada de teléfono, ni un mensaje, ni una conversación previa. Nada.

El primer mes apenas pude soportarlo. Ser consciente de que Patri había desaparecido de mi vida me rompía por dentro. Traté de llamarla mil veces, pero anuló el número de teléfono y no tenía ni la menor idea de por dónde empezar a buscarla. Celosa de su intimidad, siempre mantuvo su pasado envuelto en misterio, alegando que era mucho mejor para ambas.

Su falta de comunicación al desaparecer de mi vida mientras trabajaba fue como un puñal que me atravesó el corazón. La madre de todas las traiciones. No sabía qué pensar, aún no lo sé. Desconozco si algo la ha molestado, si he hecho algo mal. Cada día, repasaba mentalmente la última semana junto a ella, intentando recordar en qué había podido ofenderla, pero fueron días perfectos, al igual que todos los anteriores mientras estuvimos juntas.

La primera semana lloré noche y día. Lloré abrazada a la almohada hasta que no me quedaron más lágrimas, primero en mi casa y más tarde en la de mi abuelo. No podía soportar la actitud de mi madre tratándome como si fuese una niña de quince años a la que han roto el corazón por primera vez. Tampoco el comportamiento de mi padre, que nunca supo cómo reaccionar cada vez que he tenido problemas, paralizado al verme llorar.

Mi abuelo nunca me juzgó, se convirtió en la roca a la que me agarraba cada vez que lo pasaba realmente mal. Solamente se sentaba a mi lado y me ofrecía un té, o galletas, o un sándwich. Siempre acompañados de un post-it diciéndome lo mucho que me quería y que podía contar con él cuando estuviese lista para hablar.

Fueron esos mensajes en los post-it los que consiguieron, poco a poco, sacarme adelante. Como casi todo en casa de mi abuelo, estaban relacionados con la agricultura o la jardinería. De hecho, yo misma se los había regalado en las anteriores Navidades. Cada uno tenía el nombre de una planta, con su ilustración, una pequeña descripción y un chiste relacionado con la jardinería, normalmente tan malo que te hacía sonreír.

—¡Ana! *¿Cómo van les coses, guaja?*—La voz ronca de Manu con su fuerte acento asturiano me saca de mis pensamientos, devolviéndome de golpe a la realidad.

Casi se lo agradezco, porque no me hace ningún bien coger un tren al pasado y recordar aquellos maravillosos días junto a Patricia. A mis veintisiete años, para Manu sigo siendo "la *guaja*", el sobrenombre que me puso el primer día que pisé estas instalaciones hace ya seis años.

—Todo bien, Manu—respondo secando con el reverso de mi mano una solitaria lágrima que rueda por mi mejilla—el invernadero ya está terminado.

—Esa *ye la mi neña*—responde jovial mientras sube, a paso lento, la cuesta que lleva hasta la hilera de invernaderos donde me encuentro.

Me duele ver su declive en estos dos últimos años. Manu ha pasado toda su vida dedicado a la agricultura y es una auténtica enciclopedia sobre producción ecológica. Sin embargo, los años de esfuerzo y los largos horarios han pasado factura a su cuerpo. Sus rodillas ya no son lo que eran y hay días en los que el dolor de espalda se hace insoportable. Lo malo es que aún le quedan dos años para retirarse y su deterioro es palpable.

—No hay cura para la *vieyera,* no cumplas años, Ana—exclama nada más acercarse a mí, sonriendo a pesar del esfuerzo y el evidente dolor.

Le devuelvo la sonrisa perdiéndome en la profundidad de sus ojos negros, llenos de sabiduría y rodeados de marcadas arrugas a causa de las innumerables horas al sol.

Acercándome a él con paso decidido, le sujeto por el codo y le ayudo a dar las últimas zancadas hasta el invernadero, sabiendo que querrá comprobar si he colocado bien los plantones de fresa en los bancales. Lo he hecho en un millón de ocasiones y podría repetirlo con los ojos cerrados y una mano a la espalda, pero sigue queriendo comprobarlo todo.

—¡Está todo perfecto, *neña*!—asevera con varias palmadas sobre mi hombro derecho que me hacen perder el equilibrio.

Tras agradecerle el cumplido y preguntarle por los tomates que estamos plantando en tres de los invernaderos, Manu se pone serio y vuelve a tomar la palabra.

—Hay una moza con la jefa que dicen que *ye* la que se va a encargar del negocio, o algo así, no presté mucha atención—interrumpe Manu haciendo un gesto de desprecio al hablar.

Manu nunca ha tenido ningún respeto por Julia, nuestra jefa. No tiene ni idea de agricultura, y mucho menos de una explotación ecológica y eso ya es motivo suficiente para que Manu considere que no es digna de respirar el mismo aire que él.

Sin embargo, a la hora de llevar un negocio y de buscar compradores, esa mujer es un lince. No se le puede negar su valía, eso es lo que nos mantiene a flote contra las producciones no ecológicas, aunque para alguien como Manu sean labores inferiores. En cualquier caso, Julia nunca ha escondido que este trabajo era algo temporal para ella y que le gustaría irse de aquí cuanto antes. Se ve que lo ha conseguido.

—¿Y qué tiene que ver esa moza, como tú dices, conmigo?—pregunto confusa con los brazos en jarra y elevando las cejas—. Será cosa de la jefa.

—Necesita alguien que le dé una vuelta por las instalaciones—responde Manu encogiéndose de hombros—la jefa *diz* que debo encargarme yo como capataz, pero ya le he dicho que mejor que lo haga *la guaja* que *ye* más ágil.

—Gracias por buscarme más trabajo con lo poco que tengo que hacer, Manu—me quejo medio en broma medio en serio, pensando que aún tengo que llenar de plantones de fresa los bancales de otro de los invernaderos.

—Ya le he dicho a la muy cabrona que el día que me compre un carrito de esos de golf para moverme por las instalaciones puedo ser su chico de los recados, pero no me hace caso—bromea Manu sonriendo mientras pega una patada a una piedra que rueda ladera abajo.

Meneando la cabeza, pongo los ojos en blanco mientras recojo mis cosas y dejo escapar un suspiro ante su comentario. Sería todo un espectáculo ver a Manu con un carrito de golf moviéndose entre los invernaderos.

Capítulo 2

Covadonga

Cada una de sus palabras taladra mi cabeza y creo que me puede estallar en cualquier momento. Esta Julia es horrible, jamás había estado con una persona tan cansina. Cada explicación es un suplicio de monotonía y cuando no soy capaz de entender a la primera alguno de los conceptos me riñe como si fuese una niña pequeña en vez de su sucesora en el cargo. Me parece increíble, menos mal que no la tendré que aguantar más de quince días.

—Creo que eso es todo por hoy. Si hay alguna otra cosa que quieras preguntarme… —añade en su tono monótono capaz de dormir a las ovejas.

—No, gracias, Julia. Pienso que eso es todo, estás siendo muy amable con tus explicaciones—contesto de manera educada suplicando en mi interior que deje de hablar de una maldita vez.

El trabajo en sí no parece complicado, al menos la parte administrativa, de la parte técnica se encarga un tal Manu, que al parecer tiene mucha experiencia. En cualquier caso, no me he enterado ni de la mitad de las cosas que me ha dicho. No es solamente su tono de voz, es su actitud, el desprecio que muestra por los operarios que se encargan de los invernaderos que al fin y al cabo son la clave del negocio. No lo entiendo, y hago nota mental de no convertirme nunca en una mujer así.

—Ah, ahí está Manu y también Ana. Manu te dará una vuelta por los invernaderos para que al menos te suenen, aunque tampoco es necesario que aprendas gran cosa sobre la parte de los cultivos salvo cómo venderlos a las grandes cuentas—establece Julia con desdén causando un claro gesto de desprecio del tal Manu.

Apenas soy capaz de escuchar sus palabras porque mis ojos se han detenido en la preciosa morena que se encuentra al lado del capataz. Lleva el pelo recogido en una cola de caballo y tiene una boca por la que se podría morir. Sin querer, mi mente trata de imaginarla vestida con otra ropa que resalte más su cuerpo, o sin ropa.

—Buenos días—saluda apretando mi mano con energía el encargado de los invernaderos, ignorando a Julia.

—Hola, me llamo Covadonga y espero aprender mucho de usted, es toda una leyenda en agricultura ecológica—respondo asintiendo con la cabeza y dibujando una sonrisa de orgullo en su boca.

—¡Una jefa simpática! Esto sí que va a ser nuevo—exclama Manu con desparpajo sin importarle que Julia esté todavía presente.

Sin poder evitarlo, desvío la mirada hacia su rostro que se ha puesto rojo de rabia de repente. Si las miradas pudiesen matar, creo que el tal Manu estaría ya moribundo en el suelo.

—La *guaja* te enseñará los invernaderos. Yo estoy ya un poco viejo para moverme con agilidad. A mi ritmo nos llevaría un par de días—bromea el capataz dirigiendo la mirada a la chica que le acompaña y que supongo que es a quien llama la "guaja".

Mi corazón se salta varios latidos al observar la sonrisa de la preciosa morena. Se le forman dos hoyuelos a ambos lados de la boca y sus ojos se encienden. Su piel está bronceada, seguramente de las horas de exposición al sol, y unas simpáticas pecas cubren la piel bajo sus ojos y parte de su nariz. La camiseta de tirantes deja ver unos fuertes hombros y, a pesar del sudor y la ropa de trabajo, está radiante.

—Encantada de conocerte, soy Ana—interviene avanzando unos pasos y ofreciéndome su mano en forma de saludo.

Una corriente eléctrica traspasa mi cuerpo nada más tocar su piel y me quedo petrificada mirando sus ojos, con el corazón desbocado sin saber si ella ha sentido lo mismo que yo.

—Espero que no te importe que sea yo quien te enseñe los invernaderos en vez de este vejestorio—bromea colocando una mano sobre el hombro izquierdo del capataz y apretándolo con suavidad.

Solamente soy capaz de negar con la cabeza rogando al cielo no haberme puesto roja como si fuese uno de los tomates que cultivan en sus invernaderos. No sé si siempre es así, pero parece tener de continuo una sonrisa en la boca y está claro que el capataz está encantado con ella.

—Sígueme, te enseñaré los invernaderos donde cultivamos los tomates, luego los de las fresas que estamos preparando ahora y por último los de las berzas que ya estamos recogiendo. Tenemos otros, incluido uno para fabes asturianas que ha traído Manu, pero creo que se haría demasiado largo y yo soy un poco pesada con las explicaciones—anuncia la morena haciendo un gesto para que la siga, aunque yo solamente tengo ojos para su culo y el movimiento de sus caderas al caminar.

Por suerte, sus explicaciones son mucho más amenas que las de Julia. En sus ojos puedo observar la pasión que siente por los cultivos, se iluminan al hablar. Su boca no deja de sonreír, haciendo que aparezcan una y otra vez esos hoyuelos por los que estoy empezando a perder la cabeza.

Al tercer invernadero que visitamos, mis ojos abandonan su boca para dirigirse a sus pechos. Son de pequeño tamaño y los pezones se marcan deliciosamente a través de la camiseta de tirantes haciendo que mis piernas tiemblen.

—Te enseñaré los invernaderos de fresas, es en lo que estoy trabajando ahora mismo, con los plantones— interrumpe de pronto devolviéndome a la realidad y creo que dándose cuenta del lugar en el que mis ojos estaban clavados.

Me ofrece una interesante charla sobre las distintas variedades de fresa que cultivamos en nuestra explotación y cómo la climatología del norte de España nos permite posicionarlas en unos meses en los que apenas sufrimos la competencia de las zonas del sur.

En cuclillas junto a ella, inspecciono los bancales con los pequeños plantones de fresa perfectamente alineados y listos para que empiecen a crecer en unas semanas y, cuando toma mi mano para enseñarme a colocar uno de esos plantones, debo llevar una rodilla a tierra para no perder el equilibrio por los nervios que me provoca el roce con su piel. Joder, va a ser complicado trabajar al lado de esta chica.

—¿Te enteras de algo de lo que te estoy explicando?— pregunta de pronto, seguramente dándose cuenta de que estoy algo distraída.

—Sí, perdona, llevo muchas explicaciones en el día de hoy. Demasiada información de golpe. En cualquier caso, eres mucho más didáctica que Julia, con ella sí que no me he enterado de gran cosa—contesto disimulando como puedo la verdadera razón por la que estoy distraída.

—No me extraña. No eres la única a la que le pasa. Esa mujer nos tiene a todos de los nervios. Vas a empezar con buen pie en la empresa porque todos deseábamos que lo dejase, pero eso que quede entre nosotras, por favor—solicita elevando las cejas.

—Soy una tumba—la tranquilizo—y me alegra saber que empezaré con buen pie con los operarios de los invernaderos. Espero no decepcionaros porque valoro mucho el trabajo que hacéis en ellos.

—¿Sabes algo de agricultura o solo de cómo llevar un negocio como Julia?—espeta de repente, dejándome sin palabras.

—He estado informándome todo lo que he podido en el último mes, leyendo alguna cosa y viendo vídeos de Youtube, pero me temo que me queda mucho por aprender—reconozco encogiéndome de hombros.

—Simplemente con que tengas ganas de aprender ya será un gran comienzo, y un cambio para nosotros. Te ganarás el respeto de Manu y eso ya es mucho—afirma con un seductor guiño de ojo incorporándose de nuevo.

—Tengo la impresión de que Manu y Julia no se llevan demasiado bien, ¿o es cosa mía?—pregunto con interés.

—No, es bastante evidente. Ninguno de los dos se molesta lo más mínimo en esconderlo. Julia dejó claro desde el principio que este trabajo era solamente temporal hasta que encontrase un puesto que ella considerase mejor. Nunca tuvo ningún interés por aprender las bases del cultivo ecológico, ni tampoco lo valora. Ni que decir tiene que a Manu casi le da algo al darse cuenta de la actitud de nuestra jefa. La agricultura ecológica es su vida entera, lo respira por cada poro de su piel. A partir de ahí se creó una relación irreconciliable.

No puedo hacer otra cosa que sonreír y asegurarle que yo soy muy distinta y que haré todo lo posible por aprender. Lo cierto es que su trabajo me parece interesante. No me puedo considerar una fanática de la agricultura ni de los cultivos ecológicos, para mí es una oportunidad de dirigir un pequeño negocio teniendo poca experiencia, pero al menos espero no caer en los mismos errores que mi antecesora.

—Otra cosa que no soportamos de Julia es su manía por hacerte sentir mal cada vez que ocurre algo que a ella no le gusta. Aunque no tengas ninguna culpa, te riñe como si fueses una niña traviesa—se queja Ana ya con la lengua suelta y aprovechando para desahogarse.

—Me he fijado en ese detalle—le aseguro—a veces me recordaba cuando de niña mi madre me echaba una bronca por discutir con mi hermana pequeña, aunque yo no tuviese ninguna culpa.

Nada más terminar la frase, me invade un pequeño sentimiento de melancolía. No sé lo que me ocurre al lado de esta mujer, pero me empiezo a sentir muy bien; calmada y relajada, como flotando en una nube.

—Cuéntame algo sobre ti, ¿qué es lo que te motiva?—pregunto curiosa apenas sin darme cuenta.

—Mi motivación es la agricultura, aunque pueda parecer un poco raro. He pasado muchas horas junto a mi abuelo cuidando un pequeño huerto cuando era una niña y desarrollé una pasión por los cultivos de la que no he podido desprenderme nunca—explica encogiéndose de hombros y dedicándome su preciosa sonrisa—y aquí estoy.

—Y aquí estás—repito como una boba apenas sin darme cuenta.

—Bueno, mejor seguimos que todavía debo plantar dos bancales de fresas antes de irme y es un trabajo duro—interrumpe Ana.

—Puedo ayudarte, si quieres—exclamo sin ni siquiera saber lo que estoy diciendo.

Ana se detiene clavándome la mirada y, por unos instantes, no soy capaz de descifrar si le ha molestado mi actitud o simplemente está sorprendida.

—¿Quieres ayudarme?—pregunta confusa arqueando las cejas.

—Bueno, si no es muy difícil, me gustaría intentarlo. Al fin y al cabo has perdido ese tiempo por mi culpa, es justo que te lo compense de algún modo. Además, qué mejor manera de ganar puntos frente a Manu que ponerme a plantar fresas el primer día—aclaro disimulando de la manera más natural posible.

—Creo que ganarías puntos no solo con Manu, sino con todos los operarios de los invernaderos—matiza asintiendo con la cabeza.

—¿También contigo?

—Especialmente   conmigo—asegura   Ana consiguiendo que mis rodillas se conviertan en plastilina ante sus palabras.

Ya en el invernadero de fresas, Ana me explica lo que debo hacer, que afortunadamente no es demasiado complicado. Colocando una caja de plantones a nuestro lado, me indica cómo debo cavar los agujeros en el plástico que cubre el bancal para que ella coloque el plantón del que luego nacerán las fresas.

No sé si es por la motivación extra que supone trabajar a su lado, pero el caso es que entre las dos somos capaces de terminar el trabajo en un tiempo más que aceptable.

—Espera, tienes tierra en la cara—anuncia Ana, acercándose para limpiar mi mejilla con el reverso de su mano.

Al sentir sus dedos en mi rostro me quedo de piedra y un escalofrío recorre todo mi cuerpo. Es como si el universo me estuviese indicando que he llegado a este trabajo solamente para encontrarme con ella. Suplico mentalmente a mi corazón que se tranquilice, temerosa de que pueda escucharlo batir dentro de mi pecho. Tragando saliva, intento recuperar el ritmo de mi respiración mientras mi piel no quiere desprenderse del recuerdo del roce de sus dedos.

—¿Te encuentras bien? Pareces acalorada. Mejor bebes algo de agua, en los invernaderos se acumula el calor y, a veces, pasan estas cosas—me explica sin saber el verdadero motivo por el que me ha subido la temperatura.

—Debe de ser lo que tú dices. La acumulación de calor en el invernadero y que me he incorporado muy rápido— le aseguro un poco más calmada.

—Muy bien, pero piensa que si te desmayas tendré que hacerte el boca a boca—bromea desconociendo el efecto que están causando en mí sus palabras.

Mientras camino junto a ella de vuelta a las oficinas, empiezo a tener muy claro que no solo mi nuevo trabajo me va a gustar, sino que es una señal del destino haberlo aceptado.

Capítulo 3

ANA

La semana se me pasa literalmente volando a pesar del duro trabajo. Debo reconocer que el cuidado de los plantones de fresas o del invernadero de los tomates es mucho más llevadero con mi mente en la intensidad de los ojos azules de la nueva jefa.

Ni que decir tiene que las pausas a las once de la mañana para tomar un café y reponer fuerzas se me hacen demasiado cortas. Covadonga ha sabido ganarse la confianza de todos los trabajadores en menos de una semana, aun teniendo en cuenta el hecho de que estamos deseando que Julia se marche cuanto antes.

Yo, por mi parte, busco cada ocasión para estar un rato a solas con ella, a veces sin motivo aparente. Es posible que se me empiece a notar, pero esos momentos en los que me pierdo en su mirada o en su pequeña boca me dan la vida. Covadonga tiene un punto justo de timidez que la hace irresistible, a veces me recuerda un poco a mi ex, Patri, en ese sentido.

—Buenos días, jefa—saludo con mi mejor sonrisa cuando la veo entrar por la puerta del pequeño comedor de la empresa.

—Buenos días a ti también—contesta Covadonga en tono jovial, algo sorprendida por el recibimiento.

Casi sin darle tiempo a que se siente a la mesa, preparo un café para ella en la máquina. Estos días he aprendido que le gusta tomar un expreso doble a estas horas y, cuando se lo llevo a la mesa, recibo la mirada de desaprobación de un par de compañeras que lo ven como un gesto de peloteo hacia la futura jefa.

En cambio, nada puede estar más lejos de la realidad, no busco hacerle la pelota precisamente. El roce accidental de sus dedos sobre mi piel al entregarle la taza de café me pone tan nerviosa que debo hacer un esfuerzo para no suspirar. ¿Me ha parecido a mí, o ese roce no ha sido del todo accidental?

—¿Todo listo para tomar el relevo de Julia?—pregunto rodeando con las manos mi taza de café y observando a Covadonga a través del humo que aún desprende.

—Todo lo lista que puedo estar. Mañana es el gran día, Julia dejará la empresa a la hora de comer y, a partir de ahí, estoy sola ante el peligro—admite saboreando un largo trago de café.

—No estarás exactamente sola, sabes que puedes contar conmigo para cualquier cosa que necesites, lo que sea—se me escapa como a una niña tonta, sin ni siquiera pensarlo.

Covadonga me mira sorprendida, pero antes de que pueda decir una sola palabra una de nuestras compañeras indica con disgusto que ya era hora de que Julia se marchase. El comentario es secundado por todos los allí presentes y pronto inicia una discusión recordando lo mala jefa que ha sido, rompiendo la magia del momento.

—¡Ana!—exclama Covadonga justo en el instante en el que me encuentro abandonando el pequeño comedor— ¿puedo hablar contigo un minuto?

Me quedo perpleja, intercambiando una rápida mirada con mi amiga Paula, que me sonríe mientras se dirige con el resto de los compañeros hacia los invernaderos. Por unos instantes me entran las dudas de si habré hecho algo mal, pero estoy segura de que no ha sido así.

Una vez que nos quedamos a solas, Covadonga me hace una seña para que me siente en la mesa junto a ella, indicándome que solo será un minuto. Juega constantemente con su pelo, colocándolo detrás de la oreja, al igual que lo hacía Patricia cuando estaba nerviosa o molesta por algo.

Se me forma un nudo en el estómago al acercarme a ella, las palmas de mis manos cubiertas de un ligero sudor mientras trato de dibujar mi mejor sonrisa para disimular el nerviosismo. Paula es la única que sabe que la nueva jefa me gusta. He tenido que admitirlo porque me conoce bien y porque es una pesada. A veces, parece que toda su vida se centre en buscarme una novia que me ayude a pasar página con la repentina desaparición de Patri.

Es curioso que desde que Covadonga ha llegado a la empresa, pienso cada vez menos en mi exnovia. Su sonrisa es contagiosa, y cada vez que me pierdo en esos ojos azules o en su boca, tengo la impresión de que el tiempo se detiene y todo desaparece a nuestro alrededor. Es lo mismo que me ocurría con Patricia.

—Tengo que preguntarte algo—tercia Covadonga devolviéndome a la realidad en cuanto me siento a su lado.

—Tú dirás—respondo, forzando una sonrisa a pesar de mis nervios.

Covadonga respira hondo, cerrando los ojos y tragando saliva. Abre la boca un par de veces para hablar, aunque las palabras no logran salir de su garganta, como si todavía las estuviese meditando antes de expresarlas.

—Para mí es muy difícil lo que te voy a decir—admite claramente agitada—espero tu discreción, independientemente de lo que decidas.

Mi corazón late con tanta fuerza que creo que se me va a salir en cualquier momento. Joder, todavía no ha tomado el relevo como jefa, no puede empezar a despedir gente nada más llegar. Espero que no sea eso. Julia lo intentó, aunque en su caso esperó un mes. Se le metió en la cabeza que no necesitábamos tanta gente trabajando en los invernaderos, pero pronto reculó ante el cabreo monumental de Manu.

—Me estás asustando un poco—reconozco con un hilo de voz.

—Oh, no es nada malo, no te preocupes. Puede no gustarte, pero malo no es—me tranquiliza, juntando las palmas de sus manos al observar el pánico en mis ojos.

—No me vas a despedir, ¿no?—pregunto asustada.

—No, joder, no es eso. Lo siento, estoy yo mucho más nerviosa que tú, puedes creerme—responde Covadonga negando con la cabeza.

Me encojo de hombros quitándome un peso de encima y la observo con interés, impaciente de que suelte de una vez lo que tiene que decir.

—Mierda, es la primera vez que lo hago y estoy como un flan, lo siento—se disculpa de nuevo tragando saliva.

—Pues como no me lo digas vamos a estar así toda la mañana, yo no lo puedo adivinar—bromeo arqueando las cejas.

—Vale, me gustaría cenar contigo. Las dos solas— suelta mi futura jefa del tirón, dejando escapar una gran cantidad de aire al terminar.

—¿Solas? ¿En plan cita?

—Sí, supongo que puedes llamarlo así. Escucha, si no te apetece lo entiendo, de verdad, no pasa nada…

—¿Esta noche?—interrumpo sin poder detener el movimiento de mi pierna derecha por debajo de la mesa.

—Esta misma noche estaría muy bien, sí—admite con una sonrisa que parece abrirme las puertas del cielo.

Me quedo simplemente mirándola, sin poder emitir una sola palabra. Hace años que no me piden una cita, desde que Patricia lo hizo antes de que empezásemos a salir. No negaré que había imaginado en mi mente la posibilidad de que Covadonga lo hiciera, reconozco que a menudo había fantaseado con ello, y con lo que ocurriría tras la cena una vez que nuestros cuerpos se encontrasen desnudos sobre mi cama.

—Ana, ¿estás bien? Si no te apetece, no pasa nada. Quizá he cruzado una línea, es demasiado pronto y somos compañeras de trabajo—insiste Covadonga con preocupación en el rostro.

—No, no. En absoluto. Es que no me lo esperaba, nada más. Me apetece muchísimo, de verdad. Desde que rompí con mi ex hace unos meses no he vuelto a salir con nadie, fue un poco traumático—reconozco bajando la mirada.

—Siento que haya salido mal. Quizá el destino nos dé ahora una oportunidad a nosotras—indica Covadonga inclinándose hacia delante para acariciar mi mano sobre la mesa.

—¿Quién sabe?—admito dejando escapar un suspiro.

Mi cuerpo tiembla desde la cabeza a los pies y creo que me estoy olvidando hasta de respirar. Simplemente me quedo mirando a Covadonga como una boba, con mi corazón saltándose varios latidos cada vez que sonríe, pero al mismo tiempo aterrorizada. Las heridas que Patricia me ha dejado no han cerrado todavía, aún están frescas y no soportaría otra decepción.

—Ana, entiendo que quieras ir poco a poco si tu anterior relación no ha salido bien. Por mi parte no hay problema. Me gustas mucho, y desearía llegar a conocerte mejor—asegura Covadonga apretando mi mano entre las suyas.

—Gracias—respondo concentrada en el calor de sus manos en mi piel—acepto esa cita encantada. Ahora, mejor me voy a trabajar, dicen que la nueva jefa es un ogro—bromeo con un guiño de ojo.

—Te paso a recoger a las ocho—anuncia Covadonga mordiendo su labio inferior.

—¿Tienes un boli para escribirte mi número de móvil y mi dirección?

—Soy la jefa, tengo acceso a esos datos—me recuerda con un sensual susurro.

Con las rodillas todavía temblando, me dirijo a la zona de los invernaderos flotando entre las nubes, imaginando nuestra cita, deseando que el tiempo vuele y lleguen las ocho. Dispuesta a iniciar una nueva etapa en mi vida.

Capítulo 4

ANA

Tal como me esperaba, el resto de la jornada de trabajo se hace eterna. Cada minuto se transforma en una hora y el reloj parece tener flojera a la hora de avanzar sus manillas. Afortunadamente, hasta los días más largos llegan a su fin, y lo que vendrá más tarde supongo que compense de sobra la espera.

Ante la sorpresa de Manu, dejo tirados los aperos y la carretilla casi de cualquier modo, abandonando las instalaciones en mi viejo coche que ya pide un cambio o, al menos, una buena mano de reparaciones.

Entro en mi casa como una exhalación casi a las siete y media, con el tiempo escaso para darme una rápida ducha y arreglarme un poco. Corro desnuda por el pasillo en dirección al baño, permaneciendo en la ducha el tiempo justo para quitarme el sudor y volver de nuevo al dormitorio a elegir la ropa.

Con la mitad de mis prendas tiradas sobre la cama o el suelo, soy incapaz de decidirme. Quiero llevar algo que llame su atención, pero al mismo tiempo que no parezca que estoy demasiado necesitada. Joder, espero que no haya notado que lo estoy.

Me miro al espejo y parezco otra persona con un vestido en el que no me encuentro cómoda. Acostumbrada a llevar unos vaqueros viejos y una camiseta, ni siquiera reconozco mis pechos en el espejo, pero no hay tiempo para más cambios. Solo espero que no tenga pensado llevarme a una hamburguesería o a comer una pizza a algún sitio informal. Al menos, con Patricia era mucho más fácil todo. Teníamos los mismos gustos, no le gustaba la ropa formal y era feliz con cualquier cosa.

Al franquear la puerta de mi casa, me detengo en seco y tengo que mirar varias veces por si pudiese ser algún tipo de cámara oculta. Covadonga me espera de pie, apoyada en un Audi descapotable negro que cuesta bastante más de lo que yo gano en varios años. Radiante, de punta en blanco.

—¡Estás preciosa!—exclama nada más que me dejo caer sobre el cómodo asiento de cuero.

Aunque pueda jugar en mi contra, le explico que más que preciosa estoy cagada de miedo: llevo demasiado tiempo sin una primera cita. En cuanto al vestido, realmente es el único que tengo en mi armario. Lo compré para la boda de una prima mía hace dos años, Patricia me ayudó a elegirlo de manera que me pudiese servir para alguna otra ocasión. Al menos me alegra saber que no he engordado y me sigue quedando bien.

—Acostumbrada a verte siempre con una cola de caballo, pareces otra persona con el pelo suelto—añade Covadonga mirándome con interés mientras esperamos que las luces de un semáforo se pongan en verde.

Sonrío pensando que ni yo misma me reconozco en el espejo. Mi melena cae sobre los hombros de manera casi perezosa. Incluso mis pies se sienten extraños embutidos en unos zapatos a pesar de que no tienen tacón, acostumbrada a llevar zapatillas de deporte o botas de trabajo.

Covadonga me lleva hasta un conocido restaurante en el centro de la ciudad. Famoso tanto por la calidad de sus platos como por sus precios, aunque tengo la impresión de que está acostumbrada a moverse en este tipo de ambientes porque, al llegar, el encargado le pregunta por sus padres, como si viniesen a cenar a menudo.

Nos conducen hasta una discreta mesa en un extremo del restaurante en el que el nivel de ruido es mínimo. Los comensales parecen hablar casi susurrando y tener una tabla en la espalda a juzgar por lo recta que la mantienen.

O quizá un palo metido por el culo. Nada que ver con los sitios a los que iba a cenar con Patricia.

Un poco desorientada, permito que Covadonga elija la cena para ambas mientras degustamos un delicioso vino e iniciamos la típica conversación de temas sin importancia para irnos conociendo un poco más.

—¿Qué clase de nombre es Covadonga? No se ven demasiadas por aquí—pregunto simplemente para romper el hielo.

—Mi familia es de Asturias, allí hay bastantes. Viene de la cueva de Covadonga, donde dicen que se inició la Reconquista de España con el rey Pelayo—explica mientras el camarero deja sobre la mesa una imponente fuente de gambas a la plancha—. Pero suelen llamarme Cova o Covi. Eso sí, en el trabajo, preferiría que de momento me sigas llamando Covadonga.

—Otro punto a tu favor para llevarte bien con Manu, sois de la misma comunidad—le indico maravillándome de la intensidad del sabor de una de las gambas cocinadas con su justo punto de sal.

—Sí, solo que a mí apenas se me nota el acento y no hablo ni una palabra de asturiano. Ya he visto que te llama *"la guaja"*.

—Cuando entré a trabajar en los invernaderos era la más joven de la empresa y, desde entonces, se me ha quedado ese nombre—le explico encogiéndome de hombros.

—Te queda bien—me asegura—. Me has comentado que tu abuelo fue quien infundió en ti el amor por la agricultura ecológica, cuéntame algo de tu familia. ¿Tienes hermanos o hermanas?

—Hermanastros. Dos chicos y una chica. Mis padres se divorciaron hace ya bastantes años y mi padre se volvió a casar formando una nueva familia. Mi madre no se ha casado y en su defecto se dedica a rescatar animales, sobre todo gatos. Su casa parece un zoo. Mi ex hacía lo mismo—bromeo llevándome una mano a la frente.

—¿Qué tal te llevas con tus hermanastros?—pregunta Cova con curiosidad.

—Esto empieza a parecer un interrogatorio más que una cita—rio sacudiendo la cabeza.

Solo lo digo para relajar el ambiente, pero Covadonga no está acostumbrada a mi sentido del humor un poco raro y se disculpa de inmediato. De nuevo, vuelven a mi cabeza las enormes diferencias con Patricia, toda naturalidad y espontaneidad a pesar de su timidez.

Covadonga es mucho más extrovertida, pero se controla en todo momento.

—Lo decía en broma. El mayor de ellos es quince años menor que yo. Está pasando por la adolescencia, así que se cree que lo sabe todo y no nos llevamos demasiado bien. Con los dos pequeños muy bien, son muy cariñosos, aunque mi hermana va a ser de armas tomar en cuanto crezca—reconozco pensando en el fuerte carácter del que ya hace gala.

El camarero interrumpe nuestra conversación para retirar la fuente de las gambas y traer a continuación un exquisito plato de merluza en salsa verde con el que me veo obligada a pedir un nuevo bollo de pan para dar buena cuenta de la salsa.

—Cuéntame algo de tu familia, Cova. ¿Tienes hermanos?

—Una hermana, dos años más pequeña. Somos muy diferentes, últimamente no nos llevamos demasiado bien. En cualquier caso, valoro mucho que haya dejado su trabajo para cuidar de mi padre enfermo y así ayudar a mi madre con la casa. Ha sido un gran sacrificio por su parte y me ha permitido terminar el master que estaba haciendo. Sin ella no habría llegado a este trabajo y no nos habríamos conocido—admite encogiéndose de hombros.

—No sabía lo de tu padre, lo siento—me disculpo cogiendo su mano y acariciándola con mi dedo pulgar—. Parece que echas un poco de menos a tu hermana aunque ahora no os lleváis bien.

—La verdad es que un poco. Es extraño, no sabría cómo explicarlo. Mi hermana es como una montaña rusa—reconoce Cova dejando escapar un suspiro—. Puede ser la persona más maravillosa del mundo, te engancha de manera que no puedes separarte de ella para luego, de pronto, venirse abajo por cualquier tontería y ser insoportable.

No puedo evitar pensar que esa descripción de la manera de ser de su hermana me recuerda un poco a mi ex. Patricia también era, a veces, así. La pasión entre nosotras cuando estaba bien era increíble, algo que no había sentido nunca ni he vuelto a sentir, pero sus repentinos cambios de humor me dejaban confusa. Marcharse sin decir nada ya fue la gota que colmó el vaso, aún no me lo explico.

El suave tacto de la piel de los dedos de Covadonga entrelazándose con los míos me devuelve a la realidad y la intensidad de sus ojos clavados en mí me hace perder la cabeza.

—Me encantan tus pecas—susurra con un seductor guiño de ojo que consigue que me derrita.

Simplemente sonrío sin saber qué decir, apretando su mano y bajando ligeramente la mirada mientras permito que una pequeña corriente eléctrica recorra mi cuerpo y voy relajándome cada vez más a su lado.

El resto de la cena lo pasamos de manera extraña. Nuestros dedos entrelazados sin que ninguna de las dos quiera soltar a la otra, lo que da lugar a algunas situaciones pintorescas a la hora de partir los trozos de merluza y provoca más de una carcajada entre ambas.

Tras los deliciosos postres, Covadonga paga la cena, dejándome más tranquila porque mi sueldo no da para ese tipo de alegrías y salimos a dar un paseo por la playa del Sardinero.

La mayor parte del tiempo simplemente caminamos de la mano, cada una disfrutando en silencio de la compañía de la otra, escuchando el relajante sonido de las olas del mar al romper en la orilla y con el olor de la brisa marina saturando nuestros sentidos.

Dejándome caer de nuevo sobre el cómodo asiento de cuero de su Audi, no puedo evitar pensar en que seguramente provenimos de mundos muy diferentes. Las cenas en restaurantes de lujo y un coche de ese nivel no pueden pagarse con su sueldo. A pesar de que Covadonga debe de rondar los treinta años, ese dinero seguramente proviene de sus padres. Yo, en cambio, me he puesto a trabajar a los diecisiete, el divorcio de mis padres dejó una situación económica muy complicada donde ya había poco dinero. Me pregunto si su familia estará de acuerdo cuando me conozcan.

En el instante en que el coche se detiene ante mi apartamento, se me forma un nudo en la garganta. Hubiese dado algo porque el viaje fuese mucho más largo, empiezo a estar muy a gusto junto a ella.

Dejando escapar un suspiro, Covadonga se gira hacia mí, con su mirada clavada en la mía. Tiemblo al sentir su mano izquierda acariciando la desnuda piel de mi brazo y poniéndome la carne de gallina. En el restaurante, en un lugar público, mi confianza estaba a un nivel superior. Ahora, a solas, mi mente me traiciona recordándome el daño sufrido en la última relación y me bloqueo.

Joder, no es justo; ni para ella ni para mí. Debo tratar de pasar página cuanto antes, olvidar de una vez a Patricia y al daño que me ha hecho y empezar de nuevo. Covadonga parece una candidata perfecta para intentarlo.

El "clic" de su cinturón de seguridad al desabrocharse y el sonido de la puerta del coche al abrirse, me devuelven a la realidad, forzando a mis pulmones a inhalar una gran cantidad de aire. Mi cuerpo entero tiembla al salir del coche y observar a Covadonga acercarse a mí con paso decidido, borrando de un plumazo la distancia que nos separa.

Mi corazón se salta varios latidos al sentir sus manos en mi cintura, sus pechos rozando los míos al acercarse un poco más de manera que nuestras frentes se toquen. Cierro los ojos y respiro hondo, deleitándome en las notas florales de su perfume mientras ella empuja mi cuerpo delicadamente contra la puerta del coche.

Permanecemos así unos instantes, ninguna de las dos queriendo romper ese mágico momento y, al mismo tiempo, ambas deseando dar el siguiente paso. Casi sin pensarlo, llevo mi mano derecha a su mejilla, todavía temblando del nerviosismo, y me acerco un poco más. Hacía mucho tiempo que no me encontraba en una situación así, mi boca a escasos milímetros de la suya, apenas recordaba el revoloteo de las mariposas en mi estómago al sentir el primer roce de sus labios en los míos.

Cova inclina la cabeza, colocando una de sus manos en mi nuca explora mis labios con los suyos, recorriendo su contorno con la punta de la lengua y logrando que se me escape un pequeño suspiro apagado.

Mis rodillas tiemblan de nerviosismo y deseo, mi corazón se dispara en el momento en el que abro los labios y nuestras lenguas se encuentran, nuestro beso se hace cada vez más pasional al tiempo que siento su cuerpo presionando el mío, mis manos acariciando su espalda, mis pezones endurecidos al rozar sus senos.

Mi cuerpo entero arde de deseo. Quiero sentir su cuerpo desnudo, cubrirla con el mío. El contacto de sus suaves besos en mi cuello me hace enloquecer al tiempo que una de sus manos se abre paso entre nosotras para acariciar mis pechos.

—Para, por favor—exclamo empujando ligeramente su cuerpo.

Covadonga me mira extrañada, sin decir nada.

—Lo siento, Cova, de verdad. Lo siento mucho. No es que no me gustes, estoy genial contigo. Eres realmente maravillosa, adictiva. Pero no esta noche. Aún no me siento preparada—me disculpo odiándome a mí misma por romper la magia del momento.

—No pasa nada, otro día entonces—concede acariciando mi mejilla con su dedo pulgar antes de darme un pequeño beso en los labios.

—Lo siento—es todo lo que puedo decir, apartando la mirada y negando con la cabeza.

—Tranquila, nos vemos el lunes en el trabajo. Que pases un buen fin de semana—se despide antes de meterse en su coche y perderse en la carretera dejando en mí un torrente de emociones difícil de manejar.

Permanezco quieta, observando las luces del vehículo desaparecer en la lejanía, con el corazón en un puño; esperando que mi miedo irracional por volver a comprometerme no haya estropeado el inicio de nuestra relación. Rogando no haber destrozado lo que podría ser una oportunidad de dejar atrás mi pasado junto a Patricia, de borrarla de mi cabeza.

Capítulo 5

COVADONGA

El viaje de regreso tras dejar a Ana en su casa es un auténtico suplicio. Aún siento sus duros pezones frotarse en mi pecho a través de la tela del vestido. Mientras conduzco, conservo en la memoria su olor, o la sensación de sus suaves labios rozando los míos.

¡Mierda! Tengo que hacer un esfuerzo para no estrellar el coche contra un árbol cada vez que tomo una curva. Cierro las piernas en cada semáforo sintiendo el placer en mi sexo humedecido, deslizando disimuladamente los dedos sobre él cuando observo que no hay coches alrededor.

Nunca me he sentido tan contenta de llegar a casa. La tentación de parar en algún lugar aislado por el camino y masturbarme pensando en ella ha sido demasiado grande.

Nada más cerrar la puerta me desprendo torpemente de los pantalones y la ropa interior dejándome caer sobre el sofá sin esperar ni siquiera a llegar a mi dormitorio. Abro las piernas y deslizo la mano derecha por mi sexo, que sigue empapado desde el mismo momento en el que coloqué las manos sobre su cintura.

Dejo escapar un fuerte suspiro, abandonada al placer que me producen dos de mis dedos resbalando entre mis labios, aunque, en mi imaginación, es Ana la que presiona la entrada de mi vagina mientras me besa con pasión.

Cerrando los ojos, los dejo entrar en mi interior, la mano izquierda jugando con mis pezones; los gemidos que se escapan de mi boca y el sonido de mis dedos al entrar y salir rompiendo el silencio de la noche.

Muerdo mi labio inferior, acariciando mis pezones, dibujando círculos alrededor de la areola. Los pellizco, tensando los músculos de la espalda al introducir mis dedos, mi boca busca aire mientras imagino que es Ana la que me está follando, cada vez más rápido, cada vez más adentro.

Saco los dedos y, haciendo una "V", coloco mis labios entre ellos presionando hacia abajo para frotarlos, gimiendo cada vez que la palma de mi mano roza mi clítoris.

Más y más gemidos al sentir la yema de mis dedos haciendo círculos sobre él; en mi mente Ana colocada detrás de mí, pegada a mi cuerpo, sus pechos en mi espalda. Casi puedo sentir sus duros pezones resbalando sobre mi piel, sus dedos frotando mi clítoris cada vez más fuerte, haciendo círculos, presionando, acariciándolo. Volviéndome loca de placer y deseo.

No puedo más, cierro los ojos pensando en sus dedos que me penetran con pasión, en sus gemidos junto a mi oído, en sus besos en mi cuello. Mis piernas tiemblan, los dedos de mis pies curvados de placer mientras siento cómo se va formando un orgasmo en mi interior que se libera con un fuerte grito, dejándome caer sobre el sofá, relajada, jadeando, satisfecha. Sin saberlo, sin tocarme, sin ni siquiera sospecharlo, Ana me acaba de regalar uno de los mejores orgasmos de mi vida.

Me quedo un buen rato sobre el sofá, imaginando que es su cuerpo sobre el que me apoyo. Nuestras piernas juntas, sus brazos rodeando mi cintura, su cálida piel sobre la mía en un sentimiento de intimidad indescriptible. Un sentimiento que espero poder experimentar pronto o me volveré loca.

¡Joder! Ana va a ser mi perdición. Creo que nunca había estado tan colgada de nadie en tan poco tiempo. Habría dado cualquier cosa por haber pasado la noche con ella, pero prefiero no forzar la situación. Si su anterior relación resultó en una ruptura bastante traumática, debo darle tiempo hasta que se sienta preparada.

Tampoco es que yo pueda ofrecerle mucho en estos momentos. A mis casi treinta años, mis padres aún no saben que me gustan las mujeres. Provienen de otro tipo de educación, de una sociedad donde sigue estando mal visto, o al menos eso piensan ellos, sobre todo mi padre. No estoy lista para contárselo, no después del drama que se montó en casa cuando mi hermana confesó que era lesbiana. Joder, mi hermana pequeña siempre ha sido mucho más decidida que yo para esas cosas.

***

—¡Buenos días, jefa!—exclama Manu nada más llegar a las instalaciones de la empresa. Parecen habérsele pasado todos sus dolores ahora que Julia abandonará los invernaderos para siempre.

—Todavía no soy la jefa, Manu—le recuerdo con una sonrisa.

—*Casi lo yes*—responde el encargado de los invernaderos en su fuerte acento asturiano mientras me da un cariñoso codazo en las costillas que me deja sin aliento.

—Julia todavía podría cambiar de idea, tiene plazo hasta hoy a las tres—le recuerdo bromeando.

—Si lo hace le paso una segadora por encima—contesta el viejo capataz negando con la cabeza.

—Recuerda que tenemos que prepararle la despedida. Os avisaré a todos a la una de la tarde. Sé que son momentos de mucho trabajo y las labores de siembra y recogida no pueden esperar, pero tendremos que adaptarnos y recuperar el par de horas que dure su despedida como podamos—le advierto.

—Lo que sea con tal de que se marche de aquí—me asegura Manu—. Creo que hablo por todo el personal cuando digo que ha sido la peor directora que hemos tenido, y he conocido a unos cuantos jefes.

Sacudo la cabeza divertida al escuchar su comentario, deseando que su opinión sobre mí no sea la misma cuando me conozca mejor, hasta que una preciosa morena, con el pelo recogido en una cola de caballo, me devuelve a la realidad.

Mi corazón parece detenerse y un cosquilleo me recorre desde el sexo hasta el vientre cuando mi mirada se cruza con la de Ana, que sonríe, mordiendo inconscientemente su labio inferior. Hasta juraría que se pone un poco roja al verme.

—Hola, preciosa—saludo acercándome a ella y asegurándome que no nos escuche nadie.

—Buenos días, jefa. ¿Has pasado un buen fin de semana?—pregunta con un seductor guiño de ojo que consigue que mis rodillas tiemblen.

—Muy bueno, aunque preferiría que se hubiese acabado antes para verte, ¿y el tuyo?

—Demasiado entretenida pensando en alguien que consigue que me excite en cuanto la imagino—susurra al pasar junto a mí, logrando que se me escape un suspiro.

Mierda, cada vez que veo esa sonrisa me pongo nerviosa. Podría esperar por ella toda la eternidad hasta que esté lista para una relación. Nunca he creído en el amor a primera vista, soy bastante reflexiva y hace poco que nos conocemos, pero creo que esto se le puede acercar bastante. Cada minuto con Ana hace que mi vida sea un poco mejor, consigue que me olvide de la enfermedad de mi padre o de las discusiones con mi hermana y piense solamente en ella.

—Siento lo que pasó el viernes cuando me has dejado en casa—se disculpa bajando la mirada.

—¿Qué es lo que sientes? ¿Haber conseguido que pase una cena estupenda junto a ti?—respondo quitando hierro a sus preocupaciones.

—Ya sabes a lo que me refiero. Me he comportado como una niña de quince años—reconoce, mirándome con una sombra de tristeza en los ojos que amenaza con romperme el corazón.

—Confieso que la vuelta a casa fue un poco peligrosa, teniendo en cuenta que cada vez que movía las piernas me excitaba, pero quitando eso, tenemos todo el tiempo que tú quieras. Vamos a tu ritmo. Cada uno de tus besos consiguió que me temblasen las rodillas—admito encogiéndome de hombros.

Sus ojos se humedecen ligeramente, pero la sonrisa en su boca es suficiente para transportarme al paraíso durante lo que resta de día. Casi se me para el corazón al observarla soltar una gran cantidad de aire con un largo suspiro, como si se hubiese quitado de repente una tensión que la estaba matando.

Sin que pueda apenas darme cuenta, se acerca a mí, rozando levemente mis labios con los suyos antes de dar media vuelta y desaparecer por la puerta. Un beso breve, casi cariñoso, pero suficiente como para dejar mi corazón al borde del infarto.

La observo abandonar la zona de oficinas camino hacia uno de los invernaderos, hipnotizada por el movimiento de sus caderas a cada paso que da, dejando un vacío en mi interior que tengo cada vez más claro que necesito llenar con su presencia.

Capítulo 6

COVADONGA

Observo el reloj una y otra vez y el tiempo no avanza. Joder, la reunión con Julia se me está haciendo eterna, esta mujer tiene la virtud de detener el tiempo, menos mal que no tendré que soportarla más a partir de hoy. No quiero ni pensar lo que ha tenido que ser para los empleados tenerla como jefa los últimos seis años.

Habla y habla sin parar mientras me froto la cara con las manos en un intento de mantenerme despierta. ¿Cómo consigue mantener su tono monótono y, al mismo tiempo, ese irritante aire de superioridad?

Clavando el codo de mi brazo derecho sobre la mesa, apoyo la cara y me fuerzo a mirarla. Al menos que parezca que la estoy escuchando, aunque ninguna de sus palabras encuentre un hueco en mi cerebro.

Mi mente regresa de nuevo a Ana. Una y otra vez imagino su hermosa cara bronceada, las pecas que cubren sus pómulos y nariz, la melena recogida en esa eterna cola de caballo.

—Me alegra que estés de acuerdo conmigo—exclama Julia, aparentemente muy contenta.

Joder, ni siquiera tengo idea de lo que me ha dicho. De vez en cuando sonrío y asiento con la cabeza para que parezca que la estoy escuchando. Se me forma un nudo en el estómago temiendo que pueda ser algo importante, aunque supongo que ya es tarde para preguntar de qué se trata y menos estando tan contenta de que supuestamente esté de acuerdo con ella.

El sonido de unos nudillos llamando a la puerta me devuelven a la realidad justo antes de que Julia siga con el tema. Salvada justo a tiempo por la campana.

—¡Adelante!—grita Julia con voz autoritaria.

Me giro para ver quién ha entrado y mi corazón parece hacer un salto mortal al observar una familiar cara pecosa entrando en el despacho.

—Perdón por la interrupción, Julia. ¿Puedo llevarme a Covadonga unos instantes? Es importante—le asegura Ana intentando mantener el rostro serio.

—Bueno, supongo que se acerca la hora de la comida—concede Julia mirando su reloj—. Creo que es prácticamente todo lo que puedo enseñarte sobre tu futuro puesto en el poco tiempo que hemos tenido,

Covadonga. A partir de aquí, tendrás que apañártelas como puedas e ir aprendiendo por tu cuenta como me tocó hacer a mí cuando llegué.

—Gracias por tu ayuda, Julia—agradezco con educación, aliviada de que no pretenda seguir hablando—. Haré todo lo posible para mantener el legado de tu trabajo, aunque soy consciente de que has puesto el listón muy alto.

Mientras Julia nos asegura que se unirá a nosotros en veinte minutos para despedirse del personal, abandono junto a Ana lo que será a partir de mañana mi despacho, haciendo un esfuerzo por aguantar la risa.

—Eres una mentirosa, Covadonga Díaz-Rábida—sonríe Ana sacudiendo la cabeza.

—¿Qué querías que le dijese?

—*"Soy consciente de que has puesto el listón muy alto"*—me imita en tono de burla.

Aunque antes de que pueda contestar, me empuja contra una de las paredes del pasillo regalándome un beso que consigue que mis rodillas tiemblen.

—¡Gracias!

—¿Por qué? ¿Por el beso o por rescatarte de sus garras? Y puedes dejar de mirar alrededor, no nos ha visto nadie—me asegura con mirada pícara.

—Por las dos cosas. Pensaba que iba a morir de aburrimiento en ese despacho. No sé cómo la habéis podido aguantar durante seis años—reconozco llevándome una mano a la frente.

Al entrar en el pequeño comedor de la empresa, retiro mi mano de su espalda precipitadamente, recorriéndome un repentino sentimiento de culpa. Me gustaría que todos supiesen que estamos saliendo, aunque lo nuestro no haya pasado de unos besos y poco más, pero, por desgracia, vale más mantenerlo de momento en secreto. En ese sentido admito la valentía de mi hermana.

—La bruja estará aquí en veinte minutos—anuncia Ana al resto de los compañeros que ya esperan hablando en pequeños círculos.

—¿Veinte minutos? Esa cabrona sabe que tenemos que trabajar, ¿verdad?—se queja Manu, provocando una carcajada en todos los allí presentes.

—Recuerda que hoy es su último día, ya no tendrás que soportarla más—le aseguro apretando su hombro.

—Me *cago en tó, debesme* una cerveza por tener que *aguantala* todos estos años, jefa—bromea el capataz de los invernaderos en su acento asturiano, dándome un nuevo codazo en las costillas.

Toda la sala se ríe al verme llevar una mano al costado y toser por el golpe. Yo no sé qué manía tiene este hombre con sus codazos cariñosos, pero no es consciente de la fuerza que imprime.

Mientras esperamos, se generan varias conversaciones que ni siquiera recuerdo, mi mente centrada en la hermosa sonrisa de Ana charlando con el resto de los compañeros o en la manera en que se ruboriza cada vez que nuestras miradas se cruzan. Menos mal que todo el mundo está concentrado en la charla y la bebida y no parecen darse cuenta.

—Oh, ¡qué sorpresa!—exclama Julia haciéndose la sorprendida en cuanto entra por la puerta.

—Julia, todo el personal de las instalaciones nos hemos juntado para hacerte unos pequeños regalos a modo de homenaje en tu despedida. Manu, si me haces el favor—solicito haciendo un gesto al viejo capataz de los invernaderos para que se acerque.

Manu emite un gruñido a modo de queja, provocando una carcajada de todo el personal, pero aun así se acerca hasta donde estoy para entregarle a nuestra ya exdirectora los regalos comprados entre todos.

—Muchas gracias, no me lo esperaba—agradece Julia juntando las palmas de las manos—. Tenía preparado un pequeño discurso, pero por desgracia, mi marido me ha llamado justo ahora diciendo que tiene una mesa reservada para comer en un restaurante cerca del paseo marítimo. Nunca me hace caso, espero que no os importe mi ausencia en la celebración—se disculpa Julia causando la felicidad de los allí presentes, a los que solamente les falta aplaudir.

Tengo que apartar la mirada para que no se me escape una carcajada al observar la reacción de los trabajadores. Solo espero que el día que yo abandone la empresa no ocurra lo mismo.

—*Nun* sabía que estaba casada, *probe paisanu, siéntolo* por él—exclama Manu llevándose una mano a la frente.

—Supongo que hará lo mismo que nosotros, desconecta cada vez que ella empieza a hablar—bromea uno de los empleados de mantenimiento.

Para tener mucha prisa por marcharse y no querer darnos ningún discurso, Julia todavía tarda otros veinte minutos en abandonar las instalaciones. A ratos, los trabajadores aplauden o vitorean alguna de sus frases, supongo que en un intento por distraerla y que se olvide del discurso o bien, simplemente, por romper la rutina de la aburrida oratoria.

—Lo siento, chicos, de verdad que lo siento, pero sabéis mucho mejor que yo que hay labores que no pueden esperar y tenemos que terminarlas hoy—me disculpo una vez que Julia se marcha.

Varios de los empleados se quejan y emiten insultos contra nuestra exdirectora por el tiempo que nos ha hecho perder con su discurso. Sin embargo, pronto toda la empresa se pone en movimiento para terminar lo antes posible el trabajo del día, conscientes de que se inicia una nueva etapa para nosotros.

Capítulo 7

ANA

Me ofrezco voluntaria para ayudar a Manu con parte de su trabajo, aunque, aparentemente, no hace mucha falta porque en cuanto Julia ha abandonado la empresa, los dolores causados por su artritis han desaparecido.

Secándome el sudor de la frente con el antebrazo, dejo escapar un largo suspiro. Los invernaderos de los tomates son los que más calor acumulan en el verano y el trabajo de entutorado está siendo duro.

—Manu, ¿puedo robarte a Ana un momento?— pregunta una familiar voz de mujer justo detrás de nosotros.

—Solo un minuto, la guaja tiene mucho que hacer— responde Manu encogiéndose de hombros ante la petición.

Sacudiendo la tierra de mi camiseta, abandono el invernadero, deseosa de que la brisa fresca de la mañana refresque mi rostro, aunque sea por unos instantes, y aprovechar a ponerme al día con Paula.

Paula Díaz es mi mejor amiga dentro de la empresa. Conectamos desde el primer momento y ha sido un apoyo importantísimo cuando Patricia me dejó sin decir palabra. He llorado sobre su hombro en más ocasiones de las que puedo contar y siempre está ahí para escucharme.

—Joder, esos invernaderos son el mismísimo infierno en verano—se queja Paula negando con la cabeza.

Como si necesitase que me lo recuerden. Los invernaderos de los tomates son los únicos que tenemos completamente cerrados todo el tiempo porque utilizamos abejorros para su polinización y, si no, se nos escapan a otras plantas que les gusten más. El resto de los invernaderos está abierto por ambos extremos y la brisa corre a través de ellos, haciendo el calor mucho más soportable incluso en verano.

—Bueeeno…creo que tienes algo que contarme, ¿no?—pregunta Paula elevando las cejas e intentando retener la risa.

—No tengo ni idea de a qué te refieres—miento, aunque ya me imagino lo que quiere saber.

—Venga ya, Ana, nos conocemos desde hace años y veo las miraditas de amor que os lanzáis cada dos por tres. Desde luego, disimular no es lo vuestro—bromea con un guiño de ojo.

—Si me prometes que se queda entre nosotras te lo cuento. Paula, no se puede enterar nadie todavía, Cova no quiere que corran rumores en la empresa hasta que sea algo más serio—le advierto con rostro serio.

—¿Ahora ya es "Cova"? Bien, bien... ¿qué tal folla?

—Joder, Pau, solamente nos hemos besado, nada más—le aseguro asintiendo con la cabeza.

—¿Solo os habéis besado? Mierda, ¿pero tú has visto a esa tía en ropa interior en el vestuario?—pregunta Paula llevándose una mano a la frente.

—Claro que la he visto. La que no deberías haberte fijado eres tú, que se supone que eres hetero. Eso sin contar con que estás hablando de mi novia y que te vas a casar en unas semanas—apunto entre risas.

—Um, ¿ya la consideras tu novia? Así que la cosa va en serio—añade con una divertida mueca.

—Bueno, no es oficial, aunque creo que sí. A ver, respondiendo a tu pregunta. No fue por falta de ganas por parte de ninguna de las dos. Te juro que estaba muy excitada y ella también, pero no he podido seguir adelante. Necesito tiempo—confieso bajando la mirada.

—Ah, ya, Patricia…

—Joder, para querer que me olvide de ella, me sacas el nombre cada poco—me quejo.

—Se llama desensibilización, tienes que pasar página de una jodida vez. No puedes seguir colgada de la zorra esa—exclama Paula con un gesto de asco.

—Te recuerdo que también era tu amiga.

—Eso era antes de que te abandonase sin decir palabra. Ahora es una zorra—espeta sin dudarlo.

Intento razonar con ella, pero no hay manera. En cuanto llegamos al tema de mi exnovia, Paula se cierra en banda y pasa oficialmente a ser "la zorra esa".

—Bueno, ¿qué tal besa? Define del uno al diez.

—Diría que un ocho, pero fue nuestro primer beso—confieso ruborizándome.

—A la zorra le habías dado un doce sobre diez en vuestro primer beso. Ya me has dicho bastante—se queja Paula en actitud defensiva.

—El sexo con Patricia se salía de las tablas, pero hay otras cosas en la vida. Me ha hecho mucho daño. Ni siquiera sé dónde está, pero, aunque apareciese, no se lo perdonaré jamás—admito clavándole la mirada.

—¡Necesitas follar!—suelta Paula de repente con una carcajada.

Sacudo la cabeza, poniendo los ojos en blanco ante la tontería que acaba de decir, antes de apoyar la frente sobre su hombro como he hecho tantas y tantas veces.

—¿Quieres los detalles de la cita o no?

—¡Empieza a soltar por esa boquita!—ordena Paula tirando cariñosamente de mi cola de caballo.

—Me llevó a cenar a un restaurante carísimo en un Audi descapotable, paseamos de la mano por el paseo marítimo a la luz de la luna. Me escuchó, me hizo sentir bien a su lado.

—Y ahí fue donde te entró el ataque de pánico, ¿no?— pregunta alzando las cejas.

—Odio que me conozcas tan bien—admito dejando escapar un suspiro—. Sí, un poco de ataque de pánico. Cuando empezamos a besarnos y sentí sus pechos sobre los míos, me temblaron las piernas. Quería que entrase en mi casa y hacer el amor con ella toda la noche, estaba excitadísima.

—¿Y?

—Y se me cruzaron los cables, me acordé de Patricia, de lo bien que estaba junto a ella, de los maravillosos orgasmos que me regalaba, del daño que me hizo desapareciendo sin explicación alguna. Y no pude seguir—confieso apartando la mirada con arrepentimiento.

—Bueno, os conocéis desde hace muy poco. Espero que para la próxima la pobre chica pueda al menos tocarte una teta—bromea Paula—no le puedes dejar todo el trabajo al Satisfyer.

No puedo evitar que se me escape una carcajada. Cuando mi ex me abandonó sin previo aviso, Paula apareció un día en el trabajo con un Satisfyer y me lo entregó como regalo, asegurándome que no necesitaría más a Patricia con ese cacharro. Lo cierto es que cumple su función a la perfección, pero no consigue que me la quite de la cabeza.

Instintivamente, llevo la yema de mis dedos a los labios, recordando el beso con Covadonga y lo bien que me hizo sentir esa noche. Es cierto que con ella no siento la pasión que había con Patricia, donde saltaron fuegos artificiales desde el primer momento, pero es más que suficiente, y estamos todavía empezando a conocernos.

En cualquier caso, visto cómo han terminado las cosas con mi ex, quizá no deba buscar fuegos artificiales en mis relaciones y sea mejor conformarse con que me hagan sentir bien. No podría soportar otra vez lo ocurrido con Patri.

Capítulo 8

ANA

El día pasa con más lentitud de la necesaria. Desde que Cova ha empezado a trabajar en la empresa, el reloj parece estirar las horas y por mucho que me guste mi trabajo, hay veces que se me hace interminable.

—Hola, preciosa—exclama una voz femenina a mi espalda mientras estoy recogiendo mis cosas—. ¿Sabes que el resto de la gente ya ha acabado?

Suspiro y se me escapa una sonrisa tonta al descubrir de quién se trata. Lo cierto es que estaba matando el tiempo, esperando a que el resto de los compañeros abandonasen las instalaciones con la esperanza de quedarnos a solas.

—¿Me estabas esperando?—pregunta Cova con una preciosa sonrisa.

—¿Y si te digo que no te esperaba a ti?—bromeo con un guiño de ojo, conteniendo la risa mientras Cova se lleva ambas manos al corazón haciendo un gesto como si estuviese dolida por lo que acabo de decir.

Con unas palmadas sobre el banco, le indico que se siente a mi lado en el vestuario, envuelta en una toalla y con mi pelo todavía goteando por la ducha.

—Te veía más por las instalaciones cuando estaba Julia, estos dos días los has pasado encerrada en el despacho o visitando clientes—me quejo con un cariñoso toque en la punta de su nariz con mi dedo índice.

—Tengo mucho que aprender en poco tiempo si quiero hacer bien mi trabajo—se excusa Cova—pero sabes que echo de menos nuestros cafés juntas.

—Yo te echo de menos a ti—admito acercándome un poco más a ella y apoyando mi cabeza en su hombro.

Dejo escapar un suspiro cuando toma mi mano entre las suyas y nuestros dedos se entrelazan, inspirando el aroma de su champú antes de cubrir su cuello de pequeños besos.

A ese suspiro se unen pequeños gemidos, esta vez apagados en su boca, cuando siento sus labios rozar los míos en un beso que necesitaba como el aire que respiro.

Nos quedamos quietas, mi frente apoyada en la suya, cada una perdida en la mirada de la otra, su mano derecha rodeando mi nuca al tiempo que creo que mi corazón se va a salir del pecho en cualquier momento.

Una corriente eléctrica recorre mi cuerpo por un simple beso, por una sencilla caricia, el deseo en sus ojos tan intenso que me hace estremecer.

Sin pensarlo dos veces, tiro hacia arriba de su blusa y cuelo mi mano derecha acariciando la suave piel de su costado. Covadonga sonríe tensando su cuerpo al sentir el tacto de mi mano, tiembla en cuanto acaricio su pecho por encima del sujetador y deja escapar un suave y delicioso gemido al sentir mi dedo pulgar jugar con su pezón.

Cubre mi cuello de besos llenos de pasión, llevándolos hasta la línea de la clavícula, haciéndome estremecer cuando, con delicadeza, abre la toalla que me cubre dejando al descubierto mis senos.

Tiemblo al sentir su cálida mano sobre ellos, mis pezones endurecidos bajo sus dedos mientras su boca continúa haciendo maravillas sobre mi cuello, alternando pequeños mordiscos con cariñosos besos.

—Me estás volviendo loca—susurro sintiendo el calor de su lengua en uno de mis pezones.

Cova no contesta, pero el suspiro que se escapa de su boca me lo dice todo. Gimo bajando por completo mis barreras; atrás quedaron mis reservas, mis preocupaciones, el dolor. Un gemido de rendición al observar cómo retira la toalla de mi cuerpo dejándome totalmente expuesta ante sus ojos.

Instintivamente, abro las piernas y las coloco sobre el banco, rogando al cielo que todas nuestras compañeras hayan abandonado ya las instalaciones de la empresa. Si alguien entrase en estos momentos en el vestuario femenino, me encontraría con las piernas abiertas, mostrando mi sexo en todo su esplendor, mientras nuestra jefa me come a besos las tetas.

Joder, prefiero no pensarlo. Por fortuna, en el momento en el que una de sus manos se cuela entre mis piernas, me quedo en blanco. Si alguien entra en estos momentos, que disfrute del espectáculo que yo ya no estoy en condiciones de parar.

Cierro los ojos y echo la cabeza hacia atrás, dejándome llevar por el placer que me producen sus dedos resbalando por la entrada de mi vagina, gimiendo cada vez que acaricia mi clítoris, gritando de placer cuando uno de ellos se cuela en mi interior.

Nuestros gemidos se entremezclan mientras Cova se coloca de rodillas entre mis piernas y me penetra con dos de sus dedos haciéndome estremecer de deseo. Deseaba tanto volver a ser acariciada que me está volviendo loca.

Su mano libre acaricia mi clítoris con maestría y, cuando su lengua se une al juego, un escalofrío recorre todo mi cuerpo. Separando con sus dedos pulgares mis labios, lame mi sexo antes de concentrarse de nuevo en mi clítoris. Lo presiona, haciendo círculos con su lengua o moviéndola de lado a lado, con mis piernas temblando y mis dedos enraizados en su melena suplicando que no se separe de mí.

Gimo, jadeo, deleitándome en el placer que su lengua me está regalando, hasta que Cova se levanta de pronto, desabrochándose los pantalones y bajando las bragas para ofrecerme su sexo en pie frente a mí. Sus ojos están llenos de deseo, un deseo casi primario y salvaje que me recuerda un poco a la mirada de Patricia en esos momentos.

Lo acaricio sintiendo la humedad de su excitación, una caricia ligera, leve, antes de retirar mi mano dejando escapar una gran cantidad de aire.

—¿Qué coño te pasa?—pregunta Cova molesta.

—Lo siento, no puedo, necesito algo más de tiempo— me disculpo apartando la mirada para no encontrarme con sus ojos.

—No te importaba tanto cuando te lo estaba comiendo—se queja ella volviéndose a abrochar los pantalones.

Tapándome la cara con las manos, le pido disculpas una y otra vez por ser una idiota. Sé que he sido yo misma quién lo había iniciado. Ella estaba de acuerdo en que nuestra relación fuese despacio y he sido yo la que no tuvo reparos en ofrecerle mi sexo, pero es que no puedo seguir, es superior a mis fuerzas.

A pesar de lo excitada que estoy, vuelve a mi cabeza el daño que me han hecho, lo fácil que ha sido herirme hasta destrozarme. Y esos ojos, rebosando deseo. Esa mirada me ha recordado demasiado a Patri.

Capítulo 9

ANA

—Por favor, dime que no has hecho eso—ruega Paula llevándose las manos a la cabeza.

—No he podido evitarlo—respondo con sequedad.

—Joder, ¿es que tú estás tonta o qué te pasa? ¿Te come el coño y tú ni siquiera la tocas?—insiste mi amiga a pesar de que es evidente que no quiero hablar del tema.

—Mierda, Paula, te digo que no he podido evitarlo, me quedé bloqueada. Tenía muchas ganas, pero, si te soy sincera no sé lo que me ha pasado—me disculpo encogiéndome de hombros sin ser capaz de entender la reacción que he tenido en el vestuario femenino.

—Ya te explico yo lo que ha pasado, otra vez la zorra de tu exnovia, que no eres capaz de quitártela de la cabeza a pesar de todo el daño que te ha hecho—espeta Paula haciendo una mueca de asco.

—Te juro que, por unas décimas de segundo, la vi delante de mí, con los pantalones bajados, con esa mirada de deseo que tanto me ponía. Joder, tengo miedo de estar

76

volviéndome loca, Paula. Te lo digo muy en serio— admito apartando la mirada, mis manos temblando.

Por fortuna, Paula tiene el don de tranquilizarme. Me abraza con fuerza, sabiendo que lo que de verdad necesito ahora mismo no es que me echen una bronca, sino que me ayuden a comprender lo que ha ocurrido.

—¿Cómo se lo ha tomado la jefa?—pregunta Paula besando mi sien.

—No lo sé, supongo que muy mal. Abandonó el vestuario enfadada y no hemos vuelto a hablar—explico dejando escapar un suspiro.

—Debes hablar con ella. Simplemente dile la verdad, sin engaños. Explícale que lo has pasado muy mal cuando te dejó la zorra, que te apetece, pero todavía tienes miedo. Seguro que lo entenderá, ya verás. Si de verdad te quiere, esperará a que estés preparada—aclara estrechándome con fuerza entre sus brazos.

Dejándome abrazar, le aseguro que llamaré a Covadonga por teléfono para disculparme. Hoy tenemos una cena toda la empresa para celebrar que Paula por fin se casa con su novio de toda la vida, y lo último que me apetece es tener malos rollos durante la cena. Además, me hace sentir muy bien a su lado. Se nota que me quiere y se preocupa por mí, al menos merece una explicación. No sé si a partir de ahora querrá seguir conmigo o pensará que estoy medio loca, pero he de disculparme.

—Dime una cosa—interrumpe Paula cuando ya estoy saliendo por la puerta—. ¿Qué tal lo hace? ¿Mejor que la zorra?

—Joder, Paula, yo no sé qué puta manía tienes de querer saber todos los detalles íntimos. Estuvo bien, vamos a dejarlo ahí—la corto llevándome una mano a la frente.

—No hace falta que me contestes. Lo veo en tu cara. No existe la pasión que veía en tus ojos cuando estabas con Patricia.

—No es eso. Patri era una persona muy adictiva, me llevaba directamente al paraíso, pero también tenía la capacidad de hacerme daño y, desapareciendo, me dejó destrozada. Esto es un caso muy diferente, Covadonga me quiere y es muy distinta, tengo claro que no me hará daño—explico encogiéndome de hombros.

—¿Quieres tener una relación con la primera que no te haga daño?—pregunta Paula elevando las cejas.

—Tampoco es eso—me quejo.

—Ana, ¿la quieres?

—Llevamos muy poco tiempo. De momento estoy muy bien con ella. Me siento segura, querida, protegida. Supongo que sí, la quiero—admito pensativa.

—Pero no igual que a la zorra de tu ex.

—Todavía no, Paula, pero cuando llevemos más tiempo seguro que sí. Cova es un cielo de mujer, tendrías que verla cuando hemos ido a cenar, se desvivía por hacer que me sintiera bien—explico recordando nuestra cena romántica de hace unos días.

Y lo cierto es que según acabo la frase me doy cuenta de una de las principales diferencias. Cova hizo todo lo posible para que me sintiese bien, Patricia no tenía que intentarlo, le salía de manera natural. Desde el principio me unió a ella un vínculo muy difícil de explicar con palabras, como si hubiésemos nacido para estar juntas. Claro·que, visto cómo acabó la cosa entre nosotras, casi prefiero una relación más tranquila.

***

Al llegar a casa, lo primero que hago es desprenderme de la ropa para estar más fresca y tirarme en la cama dispuesta a llamar a Cova y disculparme. Aunque sea algo inusual en Cantabria, la ola de calor que estamos pasando estos días convierte mi casa en un horno, y aquí es raro tener instalado aire acondicionado en las casas como tienen en otras zonas de España. No que yo me lo pudiera permitir, tampoco.

Empiezo a ponerme paranoica al ver que transcurre un tono de llamada tras otro sin recibir respuesta, pensando que ha visto mi nombre en la pantalla del teléfono y no quiere hablar conmigo.

Tiemblo, me entran ganas de llorar por haber sido una estúpida, por haber estropeado una relación que estaba empezando, por no haberle dado la oportunidad de llegar a mi corazón.

Me siento en la cama y abrazo mis rodillas con desesperación. Con las manos temblando marco el botón de rellamada, suplicando al cielo que coja el teléfono, deseando escuchar su voz al otro lado de la línea, y cada tono que pasa sin obtener una respuesta se convierte en una daga que atraviesa mi corazón.

—Hola, Ana—contesta la que espero que siga siendo mi novia.

—Cova, lo siento—titubeo con un nudo en la garganta.

—¿Me puedes explicar lo que ha pasado?—pregunta Covadonga un poco seca.

—Te he dicho que necesitaba ir despacio. Mi ex me ha hecho mucho daño y me cuesta abrirme a otra persona— me disculpo con un hilo de voz.

—Joder, Ana. Estabas desnuda, disfrutando con mi lengua entre tus piernas y, de pronto, te quedas paralizada. Es que no sé qué pensar—se queja molesta.

—Cova, no es que no quisiera, estaba muy excitada. Ni yo misma sé lo que se me ha pasado por la cabeza en esos momentos. Solo sé que me importas mucho y que no quiero perderte. Lo único que te pido es que tengas un poco de paciencia conmigo, nada más—miento para que no piense que estoy loca por haber creído ver, por unos instantes, a mi ex plantada delante de mí con los pantalones por las rodillas.

—Ya te he dicho que podemos ir todo lo despacio que haga falta, pero, por favor, no empieces algo si luego no lo vas a continuar. No tienes ni idea de lo que jode que me hayas dejado a medias en el vestuario—admite ya en un tono más relajado.

—Eres un cielo, pensaba que no me ibas a coger el teléfono—confieso más tranquila.

—Estaba en la ducha, no te voy a contar lo que hacía además de prepararme para la cena, pero te lo puedes imaginar—bromea Cova.

—¡Calla, no hace falta que me des detalles!—suspiro entre risas—te veo dentro de un rato en la cena, ¿vale?

—Te quiero—se despide Cova sin que yo sea capaz de responderle con las mismas palabras.

Capítulo 10

COVADONGA

Ana se pone ligeramente colorada cuando nuestras miradas se cruzan. Aunque a ella no le importaría en absoluto que todos nuestros compañeros supiesen nuestra relación, yo sigo muy reacia a que eso ocurra.

Soy la directora de la empresa, tengo que mantener unas apariencias. Tampoco me gustaría que se enterase mi familia y mi entorno, sobre todo mi padre. Joder, con los problemas que ha tenido mi hermana cuando le dijo a mis padres que era lesbiana, se me pone la carne de gallina solamente de pensarlo.

Suena triste decirlo, pero las ideas de mi padre parecen de otra época. Para él, la función del matrimonio es traer hijos al mundo, todo lo demás es secundario, incluyendo el amor. Si ese amor se produce entre dos personas del mismo sexo, lo considera directamente una abominación, algo que está penado por alguna ley divina que solo existe en su cabeza y en la de gente como él.

En el fondo, admiro a mi hermana por haber tenido la valentía de decírselo abiertamente a mis padres cuando sabía lo que iba a pasar. La pobre, tuvo que abandonar la casa con tan solo dieciocho años y buscarse la vida sin el apoyo de la familia. A veces, pienso que soy una cobarde por seguir fingiendo ser la hija perfecta y aprovechar los beneficios que ello conlleva.

Es irónico que ahora que mi padre está al borde de la muerte, sea precisamente mi hermana la que lo haya abandonado todo para cuidarle, permitiéndome no tener que renunciar a mi carrera profesional. Hemos hablado pocas veces de ello, pero puedo ver el dolor en sus ojos cuando menciona a su ex.

En la cena, varios de mis compañeros de trabajo están ya bastante entonados por el alcohol. Manu, el capataz de los invernaderos, cuenta chistes verdes o canta canciones, causando la algarabía de un gran grupo de ellos que brindan y aplauden. En una pequeña mesa a la derecha, algo más tranquila, Ana y su amiga Paula ríen contándose alguna confidencia que espero no me afecte a mí, aunque supongo que Paula sabe lo que hay entre nosotras.

En cuanto me ve, Manu me hace una seña para que me siente a su lado, impidiendo mi primera intención que era sentarme junto a Ana y Paula. Al menos, puedo colocarme frente a ellas, de manera que mis continuas miradas furtivas se disimulen. ¿Dónde más podría mirar que no sea hacia el frente?

En mi mesa, Manu sigue con sus chistes, los vasos vacíos de cerveza acumulándose a tanta velocidad que a los camareros les cuesta mantener el ritmo. Cuenta una historia tras otra de lo estúpida que era Julia, nuestra anterior gerente, a la hora de entender los invernaderos y hago nota mental de no repetir los mismos errores para no ser yo la diana de sus chistes algún día.

Es como si un invisible vínculo me uniese con Ana; cada vez que dirijo mi mirada hacia su mesa cruza sus ojos con los míos logrando que un escalofrío recorra todo mi cuerpo. Vuelven a mi cabeza las imágenes de su cuerpo desnudo en el vestuario, de sus maravillosos pezones endurecidos, de sus piernas abiertas para recibir las caricias de mi lengua.

—*Tas* muy callada hoy, jefa—bromea Manu dándome un fuerte golpe en la espalda y sacándome de mis pensamientos de manera abrupta.

Este hombre no es consciente de su fuerza. A pesar de su edad, ya casi al borde de la jubilación, los años de trabajo en el campo han desarrollado la fuerza mejor que cualquier gimnasio y esa manía de darme codazos en las costillas y palmadas en la espalda me deja dolorida aunque él no se dé cuenta.

Ana se ríe al percatarse de lo que ha pasado y esa sonrisa me reconforta. Siento la humedad entre mis piernas, abriéndolas y cerrándolas varias veces con disimulo, excitándome con el roce sobre mi sexo. Daría lo que fuera por escaparme al baño con ella y hacer el amor, aunque el resultado más probable será que acabe yendo yo sola al baño, pero a masturbarme.

Las pocas relaciones que he tenido con otras mujeres siempre han sido esporádicas. Mientras vivía en casa de mis padres no hubiese osado salir con una mujer más que en alguna noche loca y a escondidas. Ana me tiene completamente pillada, creo que nunca había sentido algo así por nadie. Joder, estoy dispuesta a esperar todo lo que haga falta hasta que se sobreponga a la ruptura con su ex, por mucho que me cueste.

Uno a uno, nuestros compañeros de trabajo se van despidiendo, la mayor parte de ellos lo suficientemente bebidos como para que la procesión de taxis a la puerta del bar sea continua. He insistido mucho en no dejar conducir a nadie si había bebido alcohol, no quiero disgustos.

Dos de nuestros compañeros tienen que meter a Manu en su taxi a empujones; quiere seguir la fiesta, pero apenas es capaz de mantenerse en pie. Sacudo la cabeza divertida, aprovechando la ocasión para sentarme junto a mi novia y su amiga por primera vez en toda la noche, justo cuando un hombre al que no conozco entra en el bar dirigiéndose hacia nosotras.

—Eeeeeh, Iván estáaa aquí—anuncia Paula en un claro estado de embriaguez.

—Hooolaaaa, Iván—continúa Ana más o menos en el mismo estado que su amiga, haciendo señas al hombre que acaba de entrar para que se siente en nuestra mesa.

El hombre que supuestamente se llama Iván sonríe, sacudiendo la cabeza y llevándose una mano a la frente en un gesto divertido al ver en el estado en que ambas se encuentran.

—Iváaaan—grita Paula extendiendo sus brazos y balanceando la silla sobre sus patas traseras.

Por suerte, el tal Iván tiene buenos reflejos y sujeta el respaldo de la silla con mano firme antes de que Paula acabe en el suelo.

—Hola, Ana. Hola, Paula—saluda Iván en un profundo tono de voz.

No puedo evitar sonreír ante la cara de enfado que Paula ha puesto al no ser saludada en primer lugar.

—Hola, persona nueva. Tú debes de ser Covadonga, la nueva jefa de la empresa, ¿verdad?—saluda extendiendo su brazo para darme la mano.

—La misma, encantada—respondo devolviéndole el saludo.

—Soy Iván, el futuro marido de esta preciosidad que apenas puede mantenerse en pie—indica con una sonrisa señalando hacia Paula, que se deja caer entre sus brazos agarrada a su cuello.

Tras poco más de cinco minutos de conversación trivial, Iván se disculpa señalando la evidencia de que Paula no está en condiciones de seguir con la fiesta y ofreciéndose a llevarme a casa en su coche. Le agradezco el detalle, haciéndole saber que un taxi pasará a recogerme en breve, extendiendo a continuación su ofrecimiento a Ana.

Ella me mira y, más tarde, comprendo que preferiría que compartiésemos taxi, aunque en ese momento no soy capaz de darme cuenta y solo puedo reconocer la decepción en su rostro sin comprender el motivo. En cualquier caso, no tengo nada claro si las copas que llevamos encima nos hubiesen permitido detener nuestro deseo y, seguramente, al día siguiente Ana se habría arrepentido.

—Llámame cuando llegues a casa—susurro a su oído sin saber si me ha escuchado.

—Lo haré. Quizá no esté todavía preparada físicamente para hacer algo contigo, pero puedo hacerte un regalo por teléfono—responde con un seductor guiño de ojo y lanzándome un beso delante de la poca gente que queda aún en el bar.

Al escucharla, un calor invade todo mi cuerpo. Paula hace un comentario que no soy capaz de escuchar y ambas se ríen mirando en mi dirección, aunque, en estos momentos, poco me importa. No sé si es por el alcohol o por la excitación, quizá por ambas, pero en el corto trayecto en taxi que separa el bar de mi casa, parezco una niña a punto de recibir sus regalos de Navidad.

Tras pagar el taxi, entro corriendo por la puerta y, subiendo las escaleras de dos en dos, me dirijo al piso de arriba de mi dúplex para ponerme el pijama y llamar a Ana.

Para mi desesperación, encadeno tonos de llamada sin obtener respuesta alguna, formándose un nudo en mi estómago cada vez que salta el buzón de voz de su teléfono sin ser capaz de escuchar su voz. Si estuviese más sobria, seguramente no seguiría llamando. Más sobria y menos caliente, porque necesito hablar con ella con urgencia.

Me tapo la cara con la almohada para ahogar un grito de decepción, mientras sigo marcando, una y otra vez el botón de rellamada hasta que, por fin, escucho su voz al otro lado de la línea, consiguiendo que mi corazón se salte varios latidos.

—Hola, guaaapa—interviene Ana, alargando todavía las sílabas por la bebida.

—Ya te echaba de menos—admito entre susurros.

—¿Estás tumbada en tu cama?—pregunta sin escuchar lo que le estoy diciendo.

—Sí.

—Dime lo que llevas puesto—ordena consiguiendo que se me ericen los pelos de la nuca.

—Un pijama.

—¿Llevas ropa interior?—inquiere en la voz más seductora que he escuchado jamás.

—No, siempre me la quito para dormir—confieso temblando.

—Ahora quiero que enciendas la cámara de vídeo del teléfono y me dejes ver tu pijama—ruega entre suspiros.

Sin saber qué contestar, enciendo la cámara de mi teléfono móvil y enfoco mi cuerpo para que pueda verme sobre la cama, esperando sus instrucciones.

—Quiero que te desabroches poco a poco los botones de la parte de arriba del pijama y dejes tus pechos al descubierto—solicita claramente excitada.

Joder, y si ella está excitada, yo estoy dejando un charco sobre el colchón. Desconocía por completo esta versión de Ana, pero en unos instantes me ha puesto a cien y ya no puedo parar.

Con mucha más prisa de la necesaria, desabrocho cada uno de los botones de la chaqueta del pijama, abriéndola para dejar al descubierto mis senos, aunque a Ana no parece haberle molestado el exceso de velocidad, sino más bien todo lo contrario a juzgar por sus suspiros.

—Acerca más el móvil a tu pecho izquierdo y tócatelo—ordena de nuevo.

Dejo escapar una gran cantidad de aire, con el pulso acelerado mientras acerco el móvil a mi cuerpo y mi mano libre masajea mi pecho causando un cosquilleo en mi sexo casi doloroso.

—Juega con tu pezón, quiero que se te ponga muy duro—insiste Ana susurrando, como si mis pezones no estuviesen ya como pequeñas piedras.

Mi pecho se hincha con cada respiración mientras el corazón bate tan fuerte que creo que la propia Ana puede escucharlo a través del teléfono.

—Me encantaría lamerte esos pezones tan pequeñitos—confiesa, logrando que se me escape un ligero gemido de deseo mientras juego con mis pechos bajo su atenta mirada.

—Ojalá estuvieses aquí—admito entre jadeos.

—No recuerdo haberte permitido hablar—tercia de golpe haciéndome temblar—. Como castigo, quiero que te quites los pantalones lentamente hasta quedarte desnuda y que enfoques el teléfono para ver cómo lo haces.

Con las rodillas de plastilina, apoyo los pies en la cama alzando las caderas mientras trato de deshacerme de los pantalones del pijama con la mano izquierda y al mismo tiempo enfocar el teléfono móvil.

Joder, juro que en estos momentos estoy tan excitada que le dejaría hacerme todo lo que ella quisiese.

—¡Enséñamelo!—ordena con voz al tiempo enérgica y sensual.

Bajando el teléfono móvil para que la cámara enfoque entre mis piernas, las abro dándole acceso a un primer plano de mi sexo, con mi cuerpo temblando de excitación.

—¡Abre los labios con tus dedos y acerca más el móvil, quiero verte de cerca—susurra, logrando que un pequeño gemido escape de mi garganta.

Colocando el teléfono móvil cerca de mi sexo, separo con los dedos mis labios, sintiendo su humedad y dándole acceso a lo que espero que sea un maravilloso primer plano de mi excitación.

—¡Joder! Me encantaría comértelo ahora mismo. Puedo ver lo excitada que estás, moriría por lamerte la vagina muy despacio, desde abajo hasta ese clítoris tan bonito que se empieza a asomar. Querría saborear esa humedad que brilla entre tus labios, recorrerlos con mi lengua. Tócate para mí—ordena haciéndome estremecer al escuchar sus palabras.

Sin dudarlo, cuelo mi mano libre entre las piernas, masturbándome para Ana, siguiendo sus instrucciones hasta que comienzo a temblar y libero uno de los mejores orgasmos que soy capaz de recordar. Mierda, me ha puesto increíblemente caliente con su juego y ni siquiera me ha tocado.

—Buenas noches, amor—se despide Ana susurrando, dejándome desnuda sobre la cama, con las piernas abiertas y dos de mis dedos todavía dentro de mí.

Me quedo sorprendida, mi corazón latiendo con fuerza, mis pulmones tratando aún de recuperar la respiración. Ponderando en mi cabeza cómo algo tan sencillo ha logrado ese efecto sobre mi cuerpo, cómo esa nueva faceta dominante de Ana, desconocida por completo para mí, me ha obligado a cambiar las sábanas. Esperando que se repita muchas más veces y si es con ella presente, mucho mejor.

Capítulo 11

ANA

Ha pasado un mes desde que empezamos a salir y las cosas van mejorando algo en el plano íntimo, sobre todo con nuestro recién descubierto sexo telefónico.

Cova sigue siendo reacia a hacer pública nuestra relación en el trabajo y yo sigo teniendo problemas para acostarme con ella. Lo cierto es que no tengo ni idea de lo que me pasa y jamás me había ocurrido algo similar. Simplemente no consigo sacar a Patricia de la cabeza en esos momentos. A veces, tengo la estúpida sensación de estar engañándola, a pesar de que no hay ya nada entre nosotras.

Tampoco es que no hagamos nada. Hemos avanzado bastante en ese sentido, un par de veces he dormido a su lado, las dos desnudas, aunque siempre en su casa, no consigo hacerlo en la cama que compartía con Patri.

Joder, a veces pienso que Cova debe creer que soy idiota. Parezco una adolescente con su primera relación. Bueno, creo que en mi primera relación iba bastante más rápido que ahora mismo. En cualquier caso, las dos veces que dormimos juntas fueron muy reconfortantes. Volver a sentir el calor de un cuerpo desnudo pegado al mío, su brazo rodeando mi cintura al despertarme por la mañana. Eran sensaciones que casi tenía olvidadas.

—¿Cómo siguen las cosas entre las tortolitas?— bromea Paula, acercándose a mí a la hora del café.

—Muy bien—respondo algo seca, pasando la página de la novela que estoy leyendo.

—Venga ya, Ana, tienes que darme más detalles— insiste Paula con mirada pícara.

—Todo va genial, de verdad. Cova es una mujer maravillosa, lo pasamos bien juntas, me trata como a una reina…

—Pero…

—Pero nada—me defiendo.

—Sé que hay un pero, nos conocemos desde hace mucho tiempo—replica Paula quitándome de las manos el libro que estaba leyendo.

—Todavía no nos hemos acostado—admito desviando la mirada.

—Joder, lleváis algo más de un mes, y ya no sois ningunas niñas. ¿Qué coño os pasa?—se extraña mi amiga cogiéndome por el brazo.

Ante su pregunta, dejo escapar un suspiro y me quedo pensativa, meditando mi respuesta. Sé perfectamente qué me pasa, porque es un problema mío, y no de Covadonga. Tengo claro que ella está haciendo todo lo posible porque lo nuestro funcione. Más allá de lo posible, porque lo normal es que ya me hubiese mandado a paseo hace tiempo, pero me cuesta admitirlo y mucho menos ante otra persona.

—Ay, no, joder, no me digas que todavía sigues con lo de la zorra de tu ex, porque te asesino—exclama Paula sacudiendo la cabeza.

—La quería mucho, Pau. No te puedes imaginar cuánto. Va a ser muy difícil olvidarla, a pesar de que ya ha pasado bastante tiempo. Con Cova estoy bien, pero no hay entre nosotras la pasión que había con Patricia, ni de lejos—confieso bajando la mirada.

—Ya sé que la querías mucho, que estaba muy buena y, por lo que contabas, vuestro sexo se salía de las tablas, pero se ha ido. Yo soy la primera que te digo que Patricia me caía muy bien cuando estaba a tu lado, pero ya no lo está. Te recuerdo que te abandonó sin dar explicación alguna, se comportó como una cabrona—gruñe Paula apretando mis manos entre las suyas.

—Lo sé—es todo lo que puedo contestar.

—Joder, lo sabes pero sigues colgada de una fantasía. Covadonga es una mujer maravillosa, te quiere, tiene un buen futuro, te trata bien. Mierda, hasta está forrada de dinero. Es un partidazo, y lo vas a estropear todo por colgarte de una tía que se marchó sin decir nada y a la que jamás volverás a ver—insiste con el rostro muy serio.

Tras decir esas palabras, Paula se levanta y con largos pasos abandona el pequeño comedor de la empresa, dejándome con los ojos llenos de lágrimas.

El problema es que tiene toda la razón del mundo, aunque eso no lo hace fácil de llevar, sino más bien al contrario. En el fondo de mi corazón, cada día sigo esperando que Patri se presente ante la puerta de mi casa y me pida perdón. Sé que soy tan tonta que la perdonaría, sin importarme el motivo por el que se ha marchado sin dar explicaciones.

Mientras me seco las lágrimas con la manga de la sudadera, me doy cuenta de lo injusto que es todo esto para Covadonga, lo frustrante que tiene que ser para ella que su novia mantenga un muro alrededor de su corazón para que no le vuelvan a hacer daño. Y la paciencia que está teniendo conmigo. Se merece algo mejor.

Este fin de semana, cuando me quede en casa de Covadonga, ya no hay vuelta atrás. Lo siento, Patri. Te sigo queriendo y siempre tendrás un hueco en mi corazón, pero no puedo seguir esperándote por siempre, sacrificando mi felicidad por si un día decides volver, a pesar del daño que ya me has hecho, pienso para mí con decisión.

—*¡Guaja! Tas ahí? Llévote* buscando media hora—grita Manu en su marcado acento de la cuenca minera de Asturias.

—¿Qué sucede Manu?—pregunto alarmada al ver que entra en el pequeño comedor como una auténtica exhalación.

—*Ye* la jefa, mejor vas a verla. Recibió una llamada de teléfono, no tiene buena pinta—contesta Manu acelerado.

—¿Dónde está?—inquiero colocando las manos sobre sus hombros y agitándole ligeramente.

—En su despacho.

Ni siquiera espero a que termine su explicación o a darle las gracias. A toda prisa, salgo del pequeño comedor y recorro los quinientos metros que lo separan del despacho de Cova con toda la velocidad que me permiten las piernas.

Con el corazón en un puño, entro dando un portazo en su despacho, sin ni siquiera molestarme en llamar a la puerta, y la imagen con la que me encuentro consigue que se me caiga el alma a los pies.

Cova llora desconsolada, su cara escondida entre las manos, su cuerpo temblando. No nos conocemos desde hace demasiado tiempo, pero nunca la había visto así. Siempre me ha parecido una persona muy positiva y observar cómo se rompe por dentro me deja muy impresionada.

—Covadonga—susurro colocándome junto a ella, separando sus manos de la cara para poder verla mejor— ¿qué ha pasado?

—Es mi padre. Le dan como máximo una semana— responde con voz desgarrada—mi hermana acaba de llamar para comunicármelo.

—Joder, lo siento mucho, Cova—admito secando con mi pulgar las lágrimas que ruedan por sus mejillas.

—Me hermana se está encargando, yo iré el fin de semana en cuanto salgamos del trabajo.

—¡Ni hablar!—interrumpo—. ¡Debes ir ahora mismo! Allí es donde te necesitan más. Nos arreglaremos perfectamente, no te preocupes.

—Siento estropear los planes que teníamos para el sábado—susurra dejando escapar un suspiro.

—Eres tonta. Lo importante ahora es que estés con tu familia. No sé qué decirte, soy horrible en este tipo de situaciones, pero sé que debes estar con ellos—insisto peinando su cabello entre mis dedos.

—Gracias, por favor, tenme informada de las cosas de la empresa, no quiero que nada se desmadre mientras no estoy. No sé qué haría sin ti. Te quiero—me asegura con un hilo de voz mientras besa mi frente.

—Llámame en cuanto llegues—musito para no tener que responder a sus últimas palabras.

En un mes todavía no he sido capaz de decir *"te quiero"*, algo que a Patricia le decía constantemente. No negaré que cada vez que Cova me lo dice a mí, una pequeña corriente eléctrica recorre mi cuerpo. En cualquier caso, me duele no ser capaz de decírselo, aunque supongo que sería peor expresar palabras vacías de sentimiento.

Sin poder evitarlo, se me forma un nudo en el estómago al verla, con el rostro descompuesto, recoger las llaves de su coche y abandonar los invernaderos perdiéndose en la carretera secundaria que conduce a la autopista y dejando un vacío en mi interior que no sé muy bien cómo manejar.

***

—¡Hola! Siento que haya contestado al teléfono de manera demasiado entusiasta, pero es que tenía ganas de escuchar tu voz—me disculpo mirando mi reflejo en el espejo al recibir la llamada de Cova informándome que ha llegado a la casa de sus padres.

—No pasa nada—susurra—me gusta que te alegres de escuchar mi voz.

—¿Qué tal las cosas por ahí?

—Regular tirando a mal. Mi padre está ya muy enfermo, con cuidados paliativos, y mi madre ha sufrido un ataque de ansiedad—responde Covadonga luchando por sacar las palabras de su garganta.

—¿Qué tal lo lleva tu hermana?

—Regular también. Ha sido el apoyo de mis padres todo este tiempo, pero en cuanto he llegado, hemos discutido y se ha encerrado en su habitación—confiesa Cova con voz triste.

—No es el momento de decirlo, pero tu hermana me parece un poco coñazo—me quejo, incapaz de aguantar el odio que empiezo a sentir por ella durante más tiempo.

—No es justo que digas eso—la disculpa Cova—. Es cierto que es muy particular, tan pronto es una roca como se encierra en sí misma, pero ha hecho un sacrificio muy grande por la familia, y especialmente por mí, cuidando de mi padre estos meses. Nunca se lo podré agradecer lo suficiente.

—Siento haber dicho eso sobre ella—admito comprendiendo que no debo juzgarla.

—No pasa nada. ¿Cómo van las cosas por la empresa?

—Ha pasado una tarde, Cova. Ningún invernadero se ha incendiado, ni ha habido complicaciones, puedes estar tranquila. Eso sí, creo que Manu está disfrutando de dirigir toda la empresa y no solamente la parte de las plantaciones. Tendrías que ver la bronca que le echó a la chica de contabilidad, quizá te tengas que pelear con él a la vuelta—bromeo intentando sacarle una sonrisa.

Cuando cuelga el teléfono, después de repetirme un millón de veces lo mucho que me echa de menos a pesar de que llevamos separadas nada más que cuatro horas, me quedo algo triste.

Me dejo caer sobre la cama, reconociendo que yo
también la empiezo a echar de menos, admitiendo que mi
corazón empieza a abrirse y que, a base de intentarlo,
Covadonga ha logrado construir una pequeña ventana
para llegar a él. Cada vez me siento más preparada, más
dispuesta a bajar mis barreras y confiar de nuevo en el
amor. La boda de Paula dentro de poco más de una
semana empieza a parecerme el momento idóneo para
entregarle mi cuerpo.

Capítulo 12

ANA

Cuatro días más tarde, recibo un mensaje de WhatsApp de Cova informándome que su padre ha fallecido y pidiéndome que, por favor, no la llame de momento; me llamará ella en cuanto pueda. Supongo que por mucho que supiesen que podría pasar cualquier día de estos, no deja de ser un duro golpe.

Se me hace raro no estar allí con ella para ayudarla a pasar estos momentos tan duros, pero cada familia es diferente, y las veces que se lo he propuesto siempre se ha negado en rotundo. No lo entiendo, a mí me gustaría tenerla a mi lado, pero respeto su decisión.

En el trabajo, todo el equipo se está dejando la piel para que Cova pueda permanecer más días con su familia. Incluso Manu nos ha pedido que le enviemos fotos haciendo el trabajo disfrazados para animarla. Una chorrada, pero algunas de ellas son tan simpáticas que espero que surtan efecto.

Al sexto día, recibimos un mensaje de voz en el teléfono de Manu agradeciendo a todos los trabajadores el esfuerzo y diciéndonos que incluso hemos conseguido sacar una sonrisa en su madre y su hermana.

Tirada en la cama, hago zapping con el mando a distancia, incapaz de disfrutar de ninguna serie o película, mi cabeza todavía pensando en lo mal que Covadonga lo debe de estar pasando, en cómo me gustaría estar con ella para confortarla. Tampoco me sirve de nada intentar leer, no logro concentrarme más de diez minutos en ningún libro, solo el tiempo que estoy ocupada en el trabajo libera mi mente, y no siempre.

Dejándome caer sobre el colchón, suspiro profundamente y apago las luces dispuesta a masturbarme pensando en ella cuando recibo una llamada de teléfono.

Mi corazón se salta varios latidos al observar en la pantalla el nombre de Cova y, temblando, abro la llamada deseando escuchar su voz.

—¡Hola! No esperaba tu llamada—exclamo tan ilusionada como una niña pequeña.

—Necesitaba escucharte—admite Covadonga casi como un susurro.

De un salto, me siento en la cama, presionando el teléfono sobre mi oreja como si quisiese ser transferida hasta su casa a través de la línea.

—¿Qué tal lo lleva tu familia?—pregunto algo angustiada.

—Mi madre lo va interiorizando poco a poco, sabíamos que este día llegaría, pero mi hermana me tiene muy preocupada. Esta mañana ha cogido su coche y ha desaparecido—explica Cova con un suspiro.

—Puf…tu hermana es un caso—mascullo suavizando lo que realmente pienso de ella.

No la conozco de nada, pero la chica esa me parece una niña malcriada. Entiendo que ha hecho un esfuerzo cuidando a su padre para que Covadonga pudiese seguir con su carrera profesional, teóricamente ha renunciado a la vida que tenía para hacerlo. Pero ¡joder! Es que siempre parece estar liándola, tiene una pinta de irresponsable que asusta, con lo seria que es Cova.

—Me tiene un poco desesperada—admite Covadonga—estos días hemos discutido constantemente por un montón de cosas. Ya te contaré con calma, ahora simplemente quería escuchar tu voz. Me quedaré el fin de semana con mi madre y el lunes volveré a Santander, aparezca o no mi hermana.

—Tengo ganas de verte. He reservado habitación para las dos en el hotel donde se celebra la boda de Paula, será una noche especial también para nosotras, te lo prometo—susurro con voz sensual.

—No me digas esas cosas que lo estoy deseando—confiesa dejando escapar un suspiro.

—Ahora deja de tocarte entre las piernas que sé que lo estás haciendo—bromeo aunque quien lo está haciendo soy yo.

—¡Qué mala eres! Te quiero, tengo muchas ganas de verte—se despide Cova colgando la llamada.

En el momento en el que dice esas palabras, un ejército de mariposas regresan a mi estómago. En esta ocasión, mi boca está a punto de repetirlas a modo de despedida, pero en el último momento no llegan a salir de mi garganta.

Temblando, me desprendo de los pantalones y de la ropa interior y deslizo mis dedos entre las piernas, sintiendo lo excitada que estoy. Cierro los ojos y dejo escapar un suspiro mientras recorro mis labios varias veces. Las yemas de mis dedos describen suaves y maravillosos círculos sobre mi clítoris y elevo las caderas de placer cuando, de pronto, suena el timbre de la puerta.

¡Joder! ¡No me lo puedo creer! ¿El puto timbre de la puerta tiene que sonar justo en estos momentos? Miro el reloj y son las nueve de la noche, ya puede ser una jodida emergencia o si no voy a matar a la persona que me haya interrumpido.

De mala gana y maldiciendo, me pongo los pantalones, dejando mis bragas sobre la cama y cubro la corta distancia que separa mi dormitorio de la entrada como una exhalación, dispuesta a volver lo más rápido posible a lo que estaba haciendo antes de que se me pase el calentón.

—¡Joder! ¡Me cago en la puta!—se me escapa nada más abrir la puerta.

De todas las personas de este planeta, incluso de la entera galaxia, me voy a encontrar plantada delante de mis narices a la que menos me esperaba. Mi mundo entero se derrumba cuando me pierdo en esos ojos azul claro que me han quitado el sueño en tantas ocasiones.

—¿Patri?—pregunto frunciendo el ceño sin creer lo que ven mis ojos.

Ha cambiado un poco, lleva el pelo más corto, pero no hay duda de que es la misma rubia de interminables piernas con unos deliciosos ojos azules de los que ahora caen pequeñas lágrimas como si fuesen diminutos diamantes.

—¿Cómo estás?—pregunta con un hilo de voz mientras varias lágrimas ruedan por sus mejillas, con los ojos algo rojos de haber llorado durante un buen rato.

—¿Qué…qué coño haces aquí?—inquiero con mi mente todavía intentando discernir si es realmente Patricia la que está delante de mí.

—Necesitaba verte—admite tragando saliva y encogiéndose de hombros.

Tomando una gran cantidad de aire, lo dejo escapar lentamente antes de contestar. Mi cabeza da vueltas en todas las direcciones, mi mente es un avispero de ideas que no soy capaz de gestionar. De pronto, me invade un fuerte sentimiento de rabia, apretando los puños hasta que mis nudillos se quedan blancos y los ojos se me llenan de lágrimas.

—¿Cómo coño te atreves a plantarte aquí?—chillo con el cuerpo temblando.

—Lo siento.

—¿Lo sientes? ¿Qué coño sientes?—increpo sin importarme que los vecinos puedan escuchar mis voces—. ¿Sientes haberme abandonado? ¿Sientes haberlo hecho sin dar ni una sola explicación? ¿O quizá sientes que no haya sabido nada de ti en varios meses y haya tenido una depresión por tu culpa?

—No lo entiendes, Ana—se disculpa apartando la mirada.

—No, claro que no lo entiendo, ni yo ni nadie—espeto con un pequeño golpe sobre su pecho, mi corazón latiendo tan fuerte que puede oírse a kilómetros de distancia.

—Te debo una explicación.

—¿Una explicación? Estábamos increíblemente bien juntas. Un día me marcho a trabajar, me despido de ti tras hacer el amor, y al volver me encuentro con que ya no estás. ¿Qué coño de explicación quieres darme?—ladro sin poder controlar mi genio—. Todo tu derecho a darme una explicación se ha cancelado hace meses, ahora no quiero ni verte.

Había imaginado millones de veces en mi cabeza este momento, la remota posibilidad de que un día Patricia apareciese en la puerta de mi casa pidiendo perdón.

Había repasado una y otra vez mi respuesta, recreado esa rabia, pero lo que estoy sintiendo va mucho más allá. Mi cuerpo tiembla, la adrenalina recorriendo mis venas sin control, mi cabeza dando vueltas hasta el punto en el que tengo que apoyarme para no perder el equilibrio.

Joder, en estos momentos odio a Patricia con todo mi corazón.

Capítulo 13

ANA

Cerrando los ojos, dejo escapar un suspiro y mis rodillas tiemblan como si estuviesen hechas de arcilla al sentir la cálida mano de Patricia acariciando mi mejilla.

Mierda, no puedo dejar que me haga esto. Echaba tanto de menos esa sensación, ese maravilloso modo que tiene de sujetar mi rostro entre sus manos antes de besarme. Me devuelve tantos recuerdos.

—No, joder, Patri. Estoy saliendo con alguien—me defiendo con un hilo de voz mientras camino unos pasos hacia atrás permitiéndola entrar en mi casa y ella cierra la puerta con el pie derecho.

No consigo decir ni una sola palabra más; mis barreras desaparecen de golpe y, antes de que me quiera dar cuenta, mis labios están saboreando los suyos. Nos besamos, devoramos nuestras bocas con una pasión que tenía olvidada al tiempo que, una tras otra, las prendas de ropa van quedando desperdigadas a nuestros pies.

Patricia presiona mi cuerpo contra la pared, sus lágrimas rodando por las mejillas mientras mis pechos desnudos acarician los suyos y su mano derecha se cuela entre mis piernas haciéndome gritar.

—Te he echado tanto de menos—admite susurrándome al oído.

Ninguna de las dos podemos contener las lágrimas. Besos salados en un intento de recuperar el tiempo perdido, el olor a vainilla de su champú, su dedo pulgar acariciando mi pezón, nuestros gemidos apagados al besarnos. En ese momento sé que he perdido la batalla, derrotada por la intensidad de sus ojos azules.

Casi sin separar nuestros labios, recorremos la corta distancia que conduce hasta el dormitorio con nuestros dedos entrelazados y el corazón queriendo salirse del pecho.

Nada más cruzar la puerta, Patricia empuja mi cuerpo ligeramente hacia atrás, hasta que mis piernas chocan con la cama y ambas caemos sobre el colchón, su cuerpo sobre el mío, una de sus manos retirando un rebelde mechón de pelo de mi cara.

—No sabes la de veces que he imaginado este momento—confieso al sentir su piel.

—Shh. No quiero escuchar ni una palabra salvo para gemir mi nombre mientras te corres—susurra Patricia logrando hacerme temblar.

Dejando escapar un largo suspiro, cierro los ojos y me abandono al placer que provocan sus pequeños y cálidos besos sobre mi cuello, le suplico que no me deje ninguna marca, pero con cada uno de sus pequeños mordiscos mi cuerpo se estremece de deseo.

Gimo mientras Patricia recorre con sus labios mi clavícula, deslizando la punta de su lengua con una lentitud embriagadora.

—Veo que tenías muchas ganas de volver a verme—bromea deslizando sus dedos por mi sexo.

Se me escapa un gemido cuando empuja mis brazos hacia arriba y mantiene mis muñecas pegadas a la cama sobre mi cabeza, nuestros dedos entrelazados y su rodilla colándose entre mis piernas, presionando mi sexo. Esa faceta dominante y primaria que sabe que me hace enloquecer.

Repletos de pasión, nuestros cuerpos se fusionan al instante. Manos, piernas, caderas, parecen cobrar vida propia con un único objetivo: dar y recibir placer.

Mis uñas recorren su fuerte espalda, nuestra respiración entrecortada, abandonadas al deseo. Dejo escapar un sonoro gemido al sentir sus labios mordiendo uno de mis pezones mientras sus dedos dibujan el contorno de mi otro pecho. Me invade una ola de calor al tiempo que muevo las caderas, frotando mi muslo en su sexo, sintiendo la humedad de su excitación sobre mi piel.

Mi vientre se tensa al sentir la mano de Patricia deslizarse, vadeando mi ombligo, hasta llegar a mi pubis, desesperada por volver a sentirla dentro de mí.

Por una centésima de segundo, recupero la cordura y me doy cuenta de que me arrepentiré de lo que estoy haciendo, aunque pronto abandono todo pensamiento, gimiendo al sentir los dedos de mi ex deslizarse entre la humedad de mis labios y presionar levemente mi clítoris.

Patricia apaga sus gemidos en mi pecho al tiempo que yo levanto las caderas buscando un mayor contacto en mi sexo y, cuando siento dos de sus dedos entrar en mi interior, lanzo un grito de placer sin importarme si alguien me puede escuchar.

Me penetra con sus largos dedos curvados ligeramente hacia arriba, como solamente ella sabe hacer, con el ritmo adecuado en cada momento mientras la palma de su mano frota mi clítoris con maestría y su dedo meñique presiona ligeramente entre mis nalgas.

Mi cuerpo se abandona al deseo, sintiendo una ola de placer formarse en mi interior que aumenta de intensidad cada vez que me penetra.

—¡Joder, Patri!—grito entre gemidos, arqueando la espalda y dejándome caer sobre la cama al alcanzar un intenso orgasmo que rompe como una ola contra las rocas.

Incapaz de contenerme, curvo los dedos de los pies y muerdo el puño mientras ese placer recorre mi cuerpo, con los dedos de Patricia aún dentro de mí.

Retira sus dedos con lentitud, provocando que nuevos gemidos abandonen mi garganta y los acerca a mi boca para que se los chupe. Los recorro con la lengua saboreando mi excitación, deleitándome en su sabor ligeramente salado, en su olor, en los jadeos de Patri mientras lo hago.

Suspiro cuando se acuesta a mi lado, mis dedos peinando su cabello con delicadeza, pequeñas perlas de sudor recorriendo su espalda.

—Nos hemos saltado los preliminares—bromea entre susurros—con lo que te gustaban los toquecitos de código morse en la entrada de tu vagina o sobre tu clítoris.

—Eres idiota, Patricia. Estaba tan caliente que te hubiese matado—le aseguro todavía tratando de recuperar la respiración e incorporándome ligeramente para colocarme entre sus piernas.

Agarrándola por los tobillos, separo sus piernas empujándolas ligeramente hacia arriba para acercarme a lo que ha sido el objeto de mi deseo durante todo el tiempo que vivimos juntas. Juro que nunca he visto una vulva más perfecta que la de Patricia. Labios pequeños, totalmente simétricos, con un interior rosa claro que brilla en cuanto se excita y te invita a besar su vagina hasta el fin de los tiempos.

Patri suspira cuando soplo sobre su clítoris, gime al sentirme lamer su sexo de abajo a arriba con lentitud, grita cuando presiono su clítoris con la lengua, moviéndola de lado a lado con rapidez. Introduzco uno de mis dedos en su interior sin separar mi boca ni un milímetro, sus dedos enraizados en mi melena, el olor embriagador de la excitación en su sexo haciéndome enloquecer.

Mi cabeza da vueltas al recorrer sus húmedos labios, lamiendo su clítoris como si mi propia existencia dependiese de ello. Me deleito recordando esa sensación casi olvidada, vuelve a mi memoria el sabor de su sexo cuando se excita, pequeñas gotas de placer rodando por su entrepierna mezcladas con mi saliva.

Juego con mi lengua sobre la entrada de su vagina mientras ella tensa los músculos de su espalda, la lamo hacia arriba con delicadeza antes de morder entre mis labios su hinchado clítoris. Su abdomen se tensa dejando ver unos ligeros abdominales que siempre me han hecho perder la cabeza. Gime, jadea tirando de mi pelo hasta que, con un grito, entre pequeños espasmos de placer, alcanza su clímax.

—¡Joder! ¡No sabes cuánto lo necesitaba!—confiesa mi ex entre jadeos.

Sonríe al tumbarme junto a ella, esa maravillosa sonrisa que hace que mis piernas tiemblen y, cuando me pierdo en sus intensos ojos azules, todo desaparece a nuestro alrededor. Solamente estamos ella y yo. Todo lo demás no importa. Ni el trabajo, ni Covadonga, ni el hecho de que se marchase sin decir nada. Todo ha desaparecido, solo nuestros cuerpos desnudos permanecen.

Esa noche hacemos el amor sin descanso, recuperando el placer negado a nuestros cuerpos durante los últimos meses hasta que, sudando y exhaustas, nos quedamos dormidas, fundidas en un tierno abrazo.

Capítulo 14

ANA

Apenas consigo abrir los ojos cuando, a las siete de la mañana, la alarma de mi teléfono móvil comienza a sonar. No sé cuánto he dormido, quizá tres o cuatro horas como mucho, y estoy agotada. Cuanto más lo ignoro, con más fuerza suena la alarma, hasta que no me queda más opción que estirar el brazo y buscar a ciegas el teléfono móvil para apagarla.

En cuanto el dormitorio se queda en silencio, los recuerdos de la noche anterior se agolpan en mi mente y un sentimiento agridulce se apodera de mí, un conflicto de emociones que choca con la fuerza de dos trenes.

Por un lado, sigo flotando en las nubes por el hecho de que Patricia haya vuelto. ¿Cómo no iba a estarlo? Joder, es como si no se hubiese marchado nunca, el vínculo entre nosotras seguía intacto a pesar de todo el daño que me hizo. Sin embargo, al mismo tiempo, me asalta un horrible sentimiento de culpa. Le he sido infiel a Covadonga sin dudarlo un instante, y es la primera vez que hago algo así.

Se me forma un nudo en el estómago pensando en lo que acabo de hacer, la pobre Cova no se lo merece, sé que me quiere de verdad y que siempre me ha tratado muy bien, pero no es lo mismo; ni siquiera se le parece.

Todavía con los ojos cerrados, giro hacia la derecha para abrazar a Patricia, deseando sentir la calidez de su piel desnuda, pero mi brazo solamente encuentra la cama vacía.

Abriendo los ojos de golpe, observo confusa su lado de la cama, todavía caliente, y me dirijo desnuda hacia el baño esperando encontrarla allí. Seguramente, con el tiempo que he tardado en apagar la alarma del móvil, Patri se habrá despertado y estará en el baño a punto de darse una ducha.

La confusión va dando paso al miedo, a la preocupación, a la ira, a medida que me voy percatando de que soy una gilipollas. Acabo de poner en peligro mi relación con Covadonga por un polvo de una noche, por muy maravilloso que haya sido. Puedo haberlo estropeado todo por una mujer que no solo me ha abandonado una vez, ahora parece que dos, sin motivo ni explicación.

Me llevo las manos a la cabeza llorando al darme cuenta de que mi ropa sigue tirada por el suelo en la entrada, pero la de Patricia ya no está. Corro hasta la cocina en un vano intento de encontrarla allí, sin importarme que algún vecino pueda ver mi cuerpo desnudo a través de la ventana.

El nudo en mi estómago da paso a las náuseas al cerciorarme de que la casa está vacía. Respiro con dificultad, mareada, mi cuerpo rebelándose ante las pruebas irrefutables de que he sido una completa imbécil, hasta el punto de que debo correr al baño entre arcadas.

¿Cómo he podido ser tan estúpida? Me pregunto mientras me dejo caer sobre el suelo del baño, sintiendo su frialdad en mi piel desnuda, en pleno ataque de ansiedad. Cubro el rostro con mis manos, ahogada en un sentimiento de impotencia y culpa que me golpea con la fuerza de un ciclón.

Cuando por fin soy capaz de ponerme en pie y volver a la cocina, con los ojos repletos de lágrimas, observo una pequeña nota pegada a la puerta de la nevera con un imán.

"Lo siento mucho, Ana. Te quiero y te querré siempre con toda mi alma, pero no puedo entrometerme"

¡Joder! No me lo puedo creer. ¿Me quiere mucho? ¿Lo hará siempre? Aprieto la nota en mi puño con rabia, deseando que fuese Patricia, lanzándola con todas mis fuerzas contra la pared de la cocina. Mi cabeza está a punto de estallar, siento cada pulsación de mi corazón sobre mi sien, todavía sin poder comprender lo que ha pasado.

Al volver al baño a por un ibuprofeno que me alivie el dolor de cabeza, mis ojos se detienen por algún motivo en la puerta de entrada, quizá deseando haberla cerrado de un portazo en la preciosa cara de Patricia cuando llegó ayer por la noche. Mis piernas tiemblan, el cuerpo se niega a obedecer y me dejo resbalar, con la espalda pegada a la pared, hasta que quedo tirada en el suelo del pasillo, en posición fetal, sollozando y con dificultad para respirar. Aparentemente, ese es mi castigo por haber sido una idiota.

Cuando por fin encuentro las fuerzas para levantarme, localizo de nuevo mi teléfono y, llorando, llamo a Manu para informarle de que no me encuentro bien y que no iré a trabajar. Hace ya más de una hora que tendría que haber estado allí, pero mi cuerpo se niega a cooperar.

Tras la llamada, me encierro en el baño y froto mi cuerpo con fuerza, como queriendo desprenderme de cada átomo de Patricia que se haya podido quedar pegado a mi piel, hasta quedar sentada en la bañera, con los

124

brazos abrazando las rodillas, sintiéndome sucia y culpable.

Sé que no volveré a verla nunca más, pero si un día lo hago no creo que pueda contenerme. Después de todo el daño que me ha hecho la primera vez, ahora vuelve a abandonarme tras solo una noche. Una sola noche de maravilloso sexo que será muy difícil de explicar a Covadonga.

Mis lágrimas se mezclan con el agua de la ducha, mis ojos perdidos en algún punto indefinido de los azulejos del baño, mientras decido que si Covadonga puede perdonarme, seré suya para siempre. En estos momentos me basta con que no me hagan más daño.

Capítulo 15

ANA

—¡Cova!—grito al verla en el trabajo al día siguiente, abrazándola sin importarme lo que piensen el resto de los compañeros.

—Con este recibimiento, quizá tenga que ausentarme más a menudo—bromea ella un poco colorada y mirando alrededor al percatarse de las sonrisas de algunos de los empleados.

En realidad, es una tontería que siga insistiendo en llevar nuestra relación en secreto porque todo el personal o lo sabe o se lo supone. En cualquier caso, será muy difícil disimularlo en la boda de Paula este fin de semana en un ambiente más festivo y desenfadado, sobre todo sabiendo que más tarde compartiremos habitación para la noche.

—¿Te encuentras bien? Manu me ha dicho que ayer no has podido venir al trabajo—pregunta con preocupación.

—Sí, no pasa nada. ¿Qué tal tu madre y tu hermana?— inquiero tratando de desviar su atención.

—Mi madre bastante bien, dentro de las circunstancias. Mi abuela ha venido a pasar unos días con ella y eso le ayuda bastante. Mi hermana ha regresado de donde quiera que estuviese y no está muy comunicativa, pero por lo menos está en casa—explica encogiéndose de hombros con resignación.

—¿Sigues preocupada por ella?

—Lo cierto es que sí. Me duele mucho ver cómo se ha ido marchitando estos últimos meses para cuidar a mi padre, abandonándolo todo. Suena muy duro decirlo, pero, ahora que mi padre ha fallecido, espero que pueda volver a su vida y recupere a su pareja. Deseo con todas mis fuerzas que vuelva a ser la misma de siempre—admite Covadonga con un gesto de dolor.

—Estoy segura de que lo hará—contesto acariciando su brazo izquierdo—. ¿Tienes ganas de que llegue la boda de Paula?

—Muchas—confiesa Cova asintiendo con la cabeza—será un gran cambio tener algo de diversión después de todos estos días tan tristes.

—Yo también. No te iba a decir nada hasta ese día, pero considero que estoy preparada para una noche loca juntas. La primera de muchas. Es hora de que deje atrás para siempre los recuerdos de mi ex—admito con un seductor guiño de ojo.

Covadonga se ruboriza y deja escapar una sonrisa por la que se podría matar. La pobre ya ha tenido suficiente paciencia conmigo y es hora de pasar página y centrarme en ella. Lo que no sé es ni cuándo ni cómo confesarle lo que ha pasado con Patricia. Solamente pensar en ello me crea mucha ansiedad. No sé cómo se lo va a tomar, imagino que muy mal, será difícil recuperar su confianza. Lo que sí tengo muy claro es que quiero decírselo, no podría vivir con ese secreto toda mi vida, me consumiría la culpa.

—¡Ana!—grita Cova de pronto llamando mi atención cuando ya me dirigía hacia la zona de los invernaderos—. Estaba pensando que tras la boda de Paula, el fin de semana siguiente es el puente de noviembre, ¿te gustaría pasarlo en la casa de mis padres en Asturias?

Casi se me para el corazón al escuchar su proposición. Mis manos tiemblan y creo que el brillo en mis ojos debe reflejar, sin ningún género de dudas, lo que le voy a contestar.

—Moriría por pasar el puente de *Halloween* contigo en Asturias—admito con un suspiro y las rodillas temblando.

—Bueno, para mi madre es el Puente de Todos los Santos, no se te ocurra llamarlo el de *Halloween* en su presencia—bromea Covadonga—pero yo también me muero de ganas de que vengas y conozcas a mi familia.

Joder, nuestra relación empieza ya a ponerse seria, no solo no le ha importado que nos vieran juntas en el trabajo, sino que está dispuesta a llevarme a la casa de su familia para presentarme a su madre y hermana. Debo concentrarme en hacer varias respiraciones profundas para no ponerme a gritar y llamar la atención del resto de trabajadores mientras tiemblo de alegría.

El olor de su eterno perfume con notas florales me devuelve a la realidad y me recuerda la tranquilidad que me aporta esta mujer cuando me encuentro a su lado, cada vez tengo más claro que merece que le dedique todo mi amor.

Dejando escapar un largo suspiro, me abrazo a su cuerpo aprovechando que nadie está ya en nuestra zona, aunque a mí no me importa lo más mínimo que nos vean, y creo que por fin, a ella tampoco.

Tras soplar un rebelde mechón de pelo, coloco mi frente sobre la suya, mis manos en su cintura, nuestra respiración acelerándose a medida que nuestras bocas borran lentamente la distancia que las separa. Suspiro al sentir la punta de su nariz rozando la mía y, cuando sus labios acarician los míos, se me escapan pequeños gemidos de deseo que me cuesta contener.

Menos mal que el sentido común de Covadonga sale a nuestro rescate y detiene la escena, porque estoy segura de que por mi parte no hubiese tenido problemas para desnudarla aquí mismo.

COVADONGA

A mi regreso de la casa de mis padres en Asturias, el cambio en Ana ha sido radical. Es posible que también en mí misma, porque, por primera vez, no me ha importado en absoluto que mis compañeros de trabajo adivinasen que estamos juntas. Supongo que, en el fondo, ya se habrían dado cuenta.

Cuando me ha dicho que está dispuesta a pasar página y a entregarse por completo a nuestra relación, mi corazón se ha saltado varios latidos. Creo que se me va a hacer la semana demasiado larga hasta que llegue el sábado y acudamos juntas a la boda de Paula.

Aún más nerviosa estoy por llevarla a la casa de mi familia. Ni yo misma sé cómo voy a reaccionar. Mi padre murió sin saber que yo era lesbiana. Con el drama que le montó a mi hermana pequeña cuando se lo dijo siendo poco más que una adolescente, he tenido bastante como para causarle más preocupaciones. Suena triste, pero ahora que ya no se encuentra entre nosotros, me siento un poco más liberada.

A veces, envidio y admiro a mi hermana pequeña. Ella tuvo la valentía de expresar su sexualidad desde muy joven, aun sabiendo los condicionamientos sociales y las ideas retrógradas de nuestra familia. Le causó muchos disgustos con mis padres, pero fue libre. Es irónico que, precisamente ella, fuese capaz de renunciar a su vida durante varios meses para cuidar a mi padre en su enfermedad.

Yo siempre he sido el ojito derecho de mis padres, la hija perfecta, la que hacía todo lo que se esperaba de ella y nunca daba disgustos. Sin embargo, en el fondo, he vivido temerosa una vida falsa para no causarles preocupaciones. Y, a pesar de todo, ha tenido que ser mi hermana, la oveja negra de la familia, la que ha renunciado a su trabajo y a su novia para hacerse cargo de mi padre y que yo pudiese seguir avanzando en mi carrera profesional.

Discutimos a menudo, tenemos sus más y sus menos de continuo y no coincidimos en demasiadas cosas, pero reconozco que la admiro y, en muchos sentidos, me gustaría ser como ella. Sé que lo está pasando mal, su sacrificio ha sido demasiado grande, inmenso. Si hay justicia en este mundo, solo espero que sea capaz de recuperar a su anterior pareja ahora que es libre para seguir su vida.

Capítulo 16

COVADONGA

Conseguir cuadrar los turnos para que todos los trabajadores de la empresa puedan acudir a la boda de Paula está siendo una auténtica pesadilla. He tenido que pedir favores a un par de empresas cercanas y cambiar varias citas con proveedores y clientes, pero si dejo a alguien sin ir a la boda, Paula, Ana y Manu me matarían, uno tras otro y no sé en qué orden.

Me encanta el cambio en Ana desde que he vuelto. Ahora está mucho más receptiva, más cariñosa, más abierta a llevar nuestra relación al siguiente nivel. Parece dispuesta por fin a pasar página y a olvidar a su ex, a la que ni siquiera conozco, pero a la que le rompería la nariz de un puñetazo por haberle hecho tanto daño.

Con semejante ajetreo, la semana se me pasa volando y mucho antes de que quiera darme cuenta, ya estoy esperando a Ana frente a su casa para llevarla al hotel donde se celebrará la boda. Debo reconocer que la idea de reservar una habitación para que pasemos juntas la noche ha sido brillante. No solo nos permite aprovechar mejor las copas que vendrán tras la cena, sino lo que ocurrirá más tarde. Estoy segura de que para Ana será mucho más fácil dejarse llevar en un hotel.

Acostumbrada a vestir siempre con ropa cómoda y deportiva, Ana demuestra ser una gran indecisa a la hora de elegir ropa formal. Comprar el vestido que llevaría a la boda ha sido un horror y, al final, hemos elegido dos diferentes, aunque debo decir que está preciosa en cualquiera de ellos.

—Siento la tardanza—se disculpa Ana nada más salir de la puerta de su casa con una maleta de un tamaño considerable.

—Sabes que vamos a pasar una noche, ¿verdad?— bromeo al ver el tamaño de su equipaje.

Si lleva todo eso para una noche, no quiero ni pensar lo que necesitará para el puente de Halloween en casa de mis padres, o si algún día nos vamos una semana entera de vacaciones. En cualquier caso, las preocupaciones por el tamaño de la maleta se me borran de un plumazo al sentir sus labios acariciar los míos antes de montar en el coche. Reconozco que esta chica tiene una facilidad para conseguir que me tiemblen las piernas que no es normal.

Aunque no es nada comparado con la sensación de abrir la puerta de la habitación del hotel y quedarnos a solas. La sonrisa de picardía en su cara al observar la cama doble hace que mi corazón se salte varios latidos y, cuando sale de la ducha con su cuerpo desnudo envuelto en una toalla antes de vestirse, creo que voy a morir de amor.

La rodeo con mis brazos, pegándome a ella desde atrás, besando su cuello mientras deja caer la toalla al suelo quedándose completamente desnuda, y mi corazón late con tanta fuerza que estoy segura de que puede escucharse en la habitación de al lado.

—Si sigues así llegaremos tarde a la boda—me recuerda entre susurros al sentir mis manos cubriendo sus pechos.

Joder, sentir sus pezones endurecerse entre mis dedos me ha puesto a cien en un instante. Suspiro con fuerza junto a su oído no queriendo separarme de ella hasta que, de nuevo, me recuerda que vamos mal de tiempo.

—Tenemos toda la noche para estar juntas y si sigues así voy a estar tan mojada que no podré caminar—me asegura besando mis labios antes de separarse de mí.

Dejo escapar un largo soplido deseando haber salido una hora antes y recordándome a mí misma que Paula es su mejor amiga y no puede llegar tarde a su boda, aunque el esfuerzo que debo hacer es supremo.

***

La respiración se me acelera al entrar de su mano a la boda. Es la primera vez que me ven abiertamente en público con Ana y mis manos se cubren de una pequeña capa de sudor mientras caminamos juntas bajo la atenta mirada de varios de nuestros compañeros de trabajo.

Ana está preciosa. Lleva puesto un vestido azul de noche, con efecto satinado y corte *wrap* que se ajusta perfectamente a su silueta. El escote en la espalda con los finos tirantes cruzados dejando sus preciosos hombros al descubierto es suficiente para hacerme perder la cabeza cada vez que lo miro.

Los recién casados han insistido en una ceremonia corta, algo que agradezco, y pronto pasamos a los aperitivos. No ha transcurrido más de media hora y Manu, el capataz de los invernaderos, canta en un rincón junto al padre de la novia, ambos con más de una copa de más a pesar de que ni siquiera hemos empezado a cenar.

Los platos que sirve el restaurante del hotel son exquisitos y la compañía inmejorable. Compartimos

136

mesa con Manu que cuenta una historia tras otra sobre Paula y Ana haciéndonos reír a todos.

—Ya era hora de que se os viera en público *de la manina, veíase* a la legua que estabais saliendo aunque lo trataseis de disimular—me recrimina provocando una carcajada en toda la mesa.

En el postre, Manu me recuerda una vez más que él también es de Asturias, como yo, como si su fuerte acento pudiese disimularlo o no me lo hubiese dicho en un millón de ocasiones. Aun así, pretende marcar las diferencias diciendo que él proviene de la cuenca minera y no de la zona de los señoritos de Llanes.

—*¡Guaja!* Me alegro mucho de verte así de feliz—grita dirigiéndose a Ana—. No te veía tan feliz desde que estabas con tu exnovia, aquella *muyer* rubia con *les piernes* largas que causaba infartos.

De nuevo, toda la mesa ríe, pero la cara de Ana ha cambiado por completo. De pronto, se ha quedado pálida, ha perdido su color y juraría que en sus ojos puedo ver algunas lágrimas. Sin embargo, antes de que le pueda preguntar qué le pasa, se levanta dirigiéndose al baño a grandes zancadas.

—¿Estás bien?—pregunto al encontrarla intentando serenarse frente al espejo.

—Sí, es una tontería, no te preocupes—me asegura asintiendo con la cabeza.

—Si pasase algo me lo contarías, ¿verdad? No quiero que haya ningún secreto entre nosotras.

—Sí, por supuesto que sí. Es una bobada, es que en el fondo soy muy sensible y toda la alegría de la boda me ha dejado el corazón muy blandito, pero estoy bien—admite acercándose a mí para darme un tierno beso en la mejilla.

ANA

Covadonga está impresionante con un vestido clásico de color granate, escote en "V" y lazada en el hombro. Se nota que está acostumbrada a reuniones sociales de todo tipo, porque se desenvuelve con mucha soltura. Lo mismo le pasaba a Patricia, aunque en el día a día vistiese muy informal, en el momento en que se vestía algo más seria, lo llevaba con tal naturalidad que parecía que su vida hubiese transcurrido entre la alta sociedad.

Patricia, joder, en el momento en que más relajados estábamos durante la cena, Manu ha tenido que mencionar su jodido nombre. ¡Qué mierda! No he podido evitar que se me saltasen las lágrimas, menos mal que he reaccionado a tiempo y corrido al baño para no estropear el maquillaje.

Yo no sé si podré vivir con el peso de saber que he engañado a Covadonga con mi ex, ¿cómo he podido ser tan idiota? Cuando Cova me dijo en el baño que no quería secretos entre nosotras, casi se me cae el alma a los pies, se me formó un nudo en la garganta tan grande que apenas me dejaba respirar.

Sé que debo decírselo, no es justo engañarla, debe conocer la verdad, pero hoy no es el momento ni el lugar para hacerlo. Esta noche es la boda de Paula y no puedo estropearla con una discusión. Ya encontraré un momento mejor, aunque sé que será muy duro.

Una vez calmada, vuelvo de la mano de Covadonga a la mesa. Esta boda es la primera vez que me coge de la mano delante de gente conocida. Yo no sé qué problema tenía porque lo supiesen o no en el trabajo si a nadie le importa, además de que ya todo el mundo lo sabía o lo sospechaba.

En la mesa principal, Paula llora de alegría una vez más, mientras su padre, ya muy entonado por el vino, grita "viva los novios" cada cinco minutos. Me pregunto cómo reaccionaremos Cova y yo en nuestra boda, yo estoy segura de que lloraré, soy muy sensible para esas cosas. Patricia habría dejado escapar también algunas lágrimas de sus hermosos ojos azules, aunque Covadonga parece una mujer que sabe controlarse mucho, quizá ella no llore.

Tengo muchas ganas de conocer a su madre y hermana el próximo fin de semana, aunque no sé cómo van a reaccionar. Por lo que me ha comentado, proviene de una familia muy conservadora, con mucho dinero. Viven en una enorme casa de Indianos en un pueblo cercano a Llanes, con jardines y todo.

Creo que me voy a sentir un poco cohibida, demasiado fuera de mi ambiente. Nunca he llegado a conocer a la familia de Patri, creo que se avergonzaba un poco de ellos y para mí siempre fue un misterio. Era muy paranoica con eso, jamás me los quiso presentar, pero estoy segura de que habría sido una situación totalmente opuesta, posiblemente provenía de alguna familia muy desestructurada.

Capítulo 17

ANA

—¿Te apetece bailar?—susurra Covadonga acariciando el reverso de mi mano con su dedo pulgar.

—Sí, pero no aquí. Podríamos subir ya a la habitación—sugiero con un seductor guiño de ojo.

—Sabes que seríamos las primeras en abandonar la boda, ¿verdad?—expone Cova arqueando las cejas.

—Creo que Paula lo entenderá—tercio acercándome a ella para besarla tras el lóbulo de la oreja.

Lo cierto es que ni bailar ni nada, lo que necesito ahora mismo es subir a nuestra habitación, quitarnos la ropa y disfrutar de nuestra intimidad toda la noche. Desde el desliz con Patricia, tengo totalmente decidido que hoy no habrá ninguna barrera, esta noche me entregaré por completo a Cova y conseguiré que se estremezca de placer.

Tras pensarlo unos segundos, Covadonga asiente con la cabeza y, encogiéndose de hombros, me hace un gesto para que la acompañe a nuestra habitación. Al pasar entre las mesas, bordeando la zona de baile, cruzo mi mirada con Paula, radiante en su vestido de novia, que sonríe y me hace un gesto elevando el dedo pulgar con ambas manos antes de plantarle un beso a su nuevo marido.

De camino a la habitación con Covadonga, aprovecho el breve trayecto en el ascensor para presionar su cuerpo sobre la pared, cubriendo su cuello de besos y escuchando los suspiros apagados de mi novia que imagino que estará tan excitada como yo en estos momentos.

Una vez dentro, ambas nos desprendemos a toda prisa de los vestidos y zapatos, quedando completamente desnudas una frente a la otra, nuestros corazones palpitando al unísono, su pecho hinchándose con cada respiración cuando, con un pequeño paso, borramos la poca distancia que nos separa y nos unimos en un larguísimo beso.

Tiemblo sintiendo la calidez de su piel sobre la mía, sus duros pezones acariciando mis senos, sus manos agarrando mis nalgas mientras separo con la rodilla sus piernas y coloco mi muslo entre su húmedo sexo.

—Ana—susurra Cova casi sin aliento, como si el mero hecho de pronunciar mi nombre hubiese robado el aire de sus pulmones.

Mi corazón se detiene al escucharla suspirar, no es que quiera hacer el amor con ella, es que lo necesito como el mismo aire que respiro.

—Te quiero—suspira colocando su frente sobre la mía antes de volver a besarme.

—Y yo—respondo todavía sin poder repetir las mismas dos palabras que su boca acaba de pronunciar.

La beso con mis manos en sus mejillas, un beso lleno de pasión mientras nos dejamos caer sobre la cama y la cubro con mi cuerpo, piel contra piel, ambas jadeando de placer y deseo.

Me sorprende de nuevo la excitación en sus ojos azules. Covadonga es una persona que controla mucho sus emociones y, en cambio, ahora muestra el mismo deseo primario que mostró aquel día en el vestuario femenino de la empresa, el día en que creí ver a Patricia en sus ojos.

Cubre mis pechos entre sus manos con delicadeza, cerrando los ojos como si quisiese adivinar su forma, recorriendo la suave piel de su contorno hasta que sus pulgares juegan con mis pezones endureciéndolos de inmediato.

Apago un pequeño gemido en su boca mientras nos besamos, mis pechos son extremadamente sensibles y cualquier caricia sobre los pezones consigue volverme loca. Su sexo se desliza sobre mi muslo dejando un reguero de humedad mientras yo siento el mío caliente y empapado en deseo, preparado para recibir sus dedos o su boca.

Cierro los ojos echando la cabeza hacia atrás cuando su mano se cuela entre mis piernas, deslizando la palma entre mis labios, hasta que uno de sus dedos se cuela en mi interior haciéndome gritar.

Besa mi cuello con pasión, alternando con pequeños mordiscos a lo largo de mi clavícula y de mis hombros que me hacen estremecer mientras me penetra con fuerza, nuestros gemidos entremezclados al tiempo que recorro su espalda con mis uñas.

—Espera, un poco más despacio, te voy a enseñar una cosa que me encanta, ¿vale?—la interrumpo momentáneamente ante su sorpresa.

Covadonga hace un gesto contrariado, pero se detiene y me presta atención mientras le explico cómo quiero que me masturbe. Soy la primera a la que le gusta un arrebato de pasión, un buen polvo sin preliminares, pero la noche es joven y no tengo nada claro que de la manera en la que me estaba tocando pudiese tener un orgasmo.

—Quiero que hagas círculos sobre mi clítoris sin apretar demasiado y los alternes deslizando la yema de tu dedo sobre él de arriba abajo—le explico mostrándole cómo lo hago yo—. En cuanto esté cerca del orgasmo, te aviso y tienes que parar, pero no del todo, debes abandonar mi clítoris y acariciar mis labios con los dedos, sin meterlos. Luego vuelves otra vez a repetir lo mismo y te aviso de nuevo.

—¿Quieres detener el orgasmo?—pregunta frunciendo el ceño.

—Sí, exactamente, quiero que lo repitas tres o cuatro veces, yo te aviso—aclaro asintiendo con la cabeza.

—¿Para qué quieres detener el orgasmo?—insiste Cova confusa.

—Respondo mucho mejor a una estimulación sobre el clítoris que con la penetración, y cuando lo detengas varias veces, el orgasmo final será muchísimo más intenso y largo—expongo arqueando las cejas y asintiendo con la cabeza.

Covadonga se encoge de hombros y comienza a hacer círculos sobre mi clítoris con demasiada fuerza. Cuando se lo corrijo, lo hace demasiado rápido, y luego demasiado lento. Sería muy injusto decir que no estoy sintiendo placer, sí lo estoy sintiendo y, seguramente, podría llegar a un orgasmo si la dejo continuar.

El problema es, de nuevo, la jodida Patricia. Me tiene acostumbrada a alargar este juego con la pericia de una maestra; volviéndome loca cada vez que se detiene justo antes de que me corra y haciéndome gritar cuando por fin me lo permite, perdida en los orgasmos más largos e intensos que he tenido en mi vida.

—Ven, deja que te lo haga yo a ti—le indico al tiempo que se tumba sobre la cama y abre las piernas.

No puedo evitar admirar la vulva de Covadonga, es muy bonita. No llega a la perfección de la de Patri, pero tiene unos labios preciosos, muy blancos y con un color rosa claro en su interior como el de mi ex.

Cova gime en cuanto comienzo a hacer suaves círculos sobre su hinchado clítoris, sus piernas tiemblan al acariciarlo de arriba abajo con la yema de mis dedos antes de volver de nuevo a los círculos. Colocando la almohada sobre la cara, apaga sus gritos mientras arquea la espalda tensando todos los músculos hasta que, de repente, se deja caer sobre el colchón, con sus pulmones tratando de recuperar la respiración tras tener un orgasmo.

—Se supone que me tenías que avisar para que pudiese parar—bromeo llevándome una mano a la frente.

—Fue una maravilla, me moría de ganas de que me tocases—reconoce Cova suspirando.

Tumbada a su lado sobre la cama, la cubro de pequeños besos, peinando su melena rubia entre mis dedos hasta que su respiración se normaliza.

—Te quiero muchísimo, Ana—susurra mientras me abraza con fuerza.

Nos quedamos un buen rato abrazadas, regalándonos infinitos besos y caricias hasta que, poco a poco, se va quedando dormida sobre mi pecho. Mientras acaricio su mejilla con el reverso de mi mano, agradezco el cariño que siempre está dispuesta a darme, lo bien que me trata, sabiendo que jamás me hará daño.

Incapaz de dormir, vuelve una y otra vez a mi cabeza la sensación de que seré yo quien se lo haga cuando le cuente mi aventura con Patricia. Para mi desgracia, regresan también los recuerdos de nuestras interminables sesiones de sexo y de la facilidad que tenía esa mujer para regalarme orgasmos, algo que con Covadonga tendremos que mejorar.

Puta Patricia, joder. No consigo sacarla de la cabeza.

Capítulo 18

COVADONGA

Despierto y Ana duerme aún a mi lado, pegada a mi espalda con su brazo rodeando mi cintura. Siento su respiración sobre mi piel, el calor de su cuerpo, y no puedo evitar pensar la suerte que tengo por estar con ella.

Ayer por la noche estábamos las dos muy cansadas por la boda, y ambas nos quedamos dormidas demasiado pronto, pero el orgasmo que consiguió sacarme estimulando mi clítoris fue maravilloso. Espero que sea el primero de muchos más.

Debo pensar cómo voy a enfocar su presentación a mi familia. No será fácil. Ayer, rodeadas de compañeros de trabajo, me sentí muy cómoda de su mano o robando pequeños besos de sus labios, pero en casa de mis padres será diferente.

Los besos de unos cálidos labios me sacan de mis pensamientos devolviéndome a la realidad, suaves caricias a lo largo de mi costado haciéndome estremecer. Si cada mañana me voy a despertar de este modo, llegaré tarde al trabajo todos los días.

—Voy a darme una ducha antes de bajar a desayunar—anuncia tras deslizar sus dedos por uno de mis pezones.

Joder, cuando la veo levantarse de la cama, completamente desnuda, y dirigirse al baño casi se me para el corazón. Tiene un culo precioso, esa ropa tan informal que lleva siempre no le hace justicia, pero desnuda es espectacular y, cuando se gira para guiñarme un ojo, no puedo evitar dejar escapar un largo suspiro.

—¿No me vas a acompañar en la ducha?—grita desde el baño justo cuando empezaba a tocarme.

Mierda, tenía que haberlo pensado. Me levanto de la cama como un resorte al escuchar su invitación y entro con ella en la ducha con las piernas aún temblando.

Las gotas de agua caen sobre nuestros cuerpos mientras siento la fría pared pegada a mi espalda. Separando mis piernas con la rodilla, se pega más a mí y suspiro al sentir la presión de sus senos sobre los míos.

Nos besamos con pasión, apartando de tanto en tanto los mechones de pelo mojado que cubren nuestros rostros, las manos volando a lo largo y ancho de cada centímetro de nuestra piel desnuda. Memorizo cada caricia a lo largo de la curva de sus caderas, de sus redondas nalgas, del contorno de sus pechos, como si quisiese recordarlo lo que me resta de vida.

Cada parte de su cuerpo me vuelve loca, nuestros gemidos confundiéndose con el sonido de la ducha cuando su mano se cuela entre mis piernas. Siento el calor más maravilloso cuando dos de sus dedos entran en mi interior, cada músculo de mi espalda tenso con cada penetración.

Desearía que esta ducha durase para siempre, permanecer toda mi vida con mi cuerpo pegado al suyo, con sus dedos dentro de mí. Escuchando sus gemidos junto a mi oído, deslizo mi mano derecha hasta alcanzar su sexo, aprovechando cada movimiento de sus caderas para entrar en su interior.

Ana curva sus dedos hacia arriba, incrementando el ritmo sobre la parte superior de mi vagina con pequeños y rápidos movimientos, casi como si fuese un vibrador, mientras noto el interior de su sexo presionando los míos en la más maravillosa de las sensaciones.

Mis piernas tiemblan, el calor recorriendo todo mi cuerpo al sentir un orgasmo formándose dentro de mí. Grito, gimo, suplico que no se detenga, que me siga follando, que no separe sus dedos de ese punto que me está haciendo enloquecer, hasta que con un fuerte y largo jadeo me abandono apoyándome sobre su cuerpo tras un intenso clímax.

Ana sonríe y me cubre de cariñosos besos mientras me abraza hasta recuperar la respiración, para más tarde, secar mi cuerpo con una de las toallas con una delicadeza exquisita.

**

ANA

Cargo la bandeja con tostadas, un cruasán a la plancha, zumo de naranja y café solo, aprovechando el maravilloso desayuno que ofrece el hotel, cuando Paula me hace una seña para que me siente con ella.

—¿Dónde está tu flamante nuevo marido?—pregunto al observar que está sola.

—Durmiendo, ¿y tu novia?

—Tenía que hacer unas llamadas, supongo que bajará en unos minutos—le explico encogiéndome de hombros.

—¿Qué tal vuestra noche de pasión?—pregunta Paula elevando las cejas y dibujando en su rostro una maliciosa sonrisa.

—¿Qué tal la tuya que eres la recién casada?—inquiero, devolviendo la pregunta para desviar su atención.

—Regular—susurra con un suspiro—las hemos tenido mucho mejores. Demasiadas prisas, había bebido un poco más de la cuenta y se quedó dormido tras el primer polvo.

—Pues yo parecido—confieso con una mueca.

—¡No me jodas!

—Era la primera vez que estábamos juntas, supongo que las cosas irán mejorando a medida que vayamos conociendo mejor nuestras necesidades—me disculpo con una sonrisa.

Paula me mira y, por unos momentos, no dice nada, pero nos conocemos desde hace muchos años y nos lo contamos todo. Por mi mirada, sabe perfectamente que para mí ha sido una pequeña frustración.

—¿Crees que le falta experiencia?—pregunta de pronto.

—Tiene treinta años.

—Eso no tiene nada que ver—tercia ella sin darme tiempo a añadir más palabras.

Me encojo de hombros sin contestar, pensativa, pero tratando de no darle importancia hasta que sus palabras me devuelven de nuevo a la realidad.

—Dime una cosa—insiste Paula—. Si la zorra de tu ex volviese, ¿con quién te quedarías? ¿Lo has pensado alguna vez?

—¡Deja ya de llamar zorra a Patricia, joder, que no tiene ninguna gracia!—me quejo enfadada—y ha vuelto, solo que se ha marchado a la mañana siguiente.

—¡Mierda! No me digas que te has follado a tu ex mientras estabas con la jefa—se inquieta mirando alrededor por si nos pudiese escuchar alguien.

—Por favor, Paula, que no lo sabe nadie—le recuerdo con el rostro muy serio apretando su antebrazo.

—Soy una tumba. ¿Se lo vas a decir?

—Sí, quiero decírselo, pero debo encontrar el momento adecuado. No deseo secretos entre nosotras nada más empezar nuestra relación—admito bajando la mirada.

—No me has contestado. Si Patricia volviese y te pidiese una segunda oportunidad. ¿Qué harías?—pregunta Paula de nuevo, incapaz de dejar el tema.

—Estoy bien con Covadonga.

—Sigues sin contestar—insiste.

—Con Cova no existe el vínculo que tenía con Patricia. Esa unión tan fuerte que el simple hecho de estar separadas unas horas hace que la eches de menos. Estaba totalmente convencida de que era mi alma gemela, la persona con la que quería compartir el resto de mi vida. Joder, incluso meses después de empezar a salir, creía morir de amor cada vez que me decía "te quiero"— confieso mordiendo mi labio inferior y dejando escapar un largo suspiro.

—¿Crees que algún día llegarás a sentir eso por la jefa?—interrumpe Paula arqueando las cejas.

—No lo sé. En cualquier caso, te estoy hablando de la Patricia antes de irse. Ahora ni siquiera la conozco, se plantó en mi casa, pasamos una noche increíble y desapareció de nuevo sin dar explicaciones, tan solo con una jodida nota diciendo que lo sentía y que siempre me querrá. ¡Joder! ¿Qué mierda de relación podría esperar con ella? Prefiero a alguien que no me haga daño—me quejo negando con la cabeza y con los ojos bañados en lágrimas.

—Volvemos a lo mismo. ¿De verdad te vas a conformar con alguien que no te haga daño y ya está? Hablamos del resto de tu vida, Ana—advierte con el rostro muy serio.

Solamente puedo emitir un largo suspiro, un suspiro agónico sin que una sola palabra ose salir de mi garganta. Desviando la mirada para no encontrar sus ojos, limpio las lágrimas que ruedan por mis mejillas con la manga de la sudadera, sin poder evitar que sean remplazadas por otras nuevas.

Las palabras de Paula hacen que me rompa por dentro. No porque sean crueles, sino porque, a veces, la verdad es lo que más duele.

Capítulo 19

ANA

Siento que Covadonga empieza a ponerse más y más nerviosa a medida que vamos consumiendo kilómetros y nos acercamos a Asturias. Entiendo que las presentaciones a la familia siempre dan un poco de reparo, pero debería ser peor para mí que para ella.

Lleva un rato conduciendo callada. Está perdida en sus pensamientos, como si no quisiese llegar a nuestro destino y todas mis preguntas son contestadas con un "no pasa nada, cariño" o un "es solo que estoy algo cansada".

Cuando por fin llegamos a los alrededores de Llanes, donde se encuentra la casa de su familia, se suelta un poco más. Me indica que me llevará a ver el centro histórico, la playa de Gulpiyuri, los bufones de Pría y tantas y tantas cosas que dudo que pasemos más de cinco minutos en su casa en el caso que quiera hacerlo todo.

El corazón me da un vuelco al traspasar la enorme verja de hierro forjado que nos conduce hasta la casa de sus padres. Decir que es espectacular es quedarse muy corta, parece sacada directamente de una película. Covadonga me explica que es lo que se conoce en la zona como una "casa de indianos". Su familia hizo mucho dinero hace bastantes años "en las Américas" como dice ella y, al volver, construyeron una enorme casa queriendo mostrar su fortuna. Por lo visto era algo muy típico de los emigrantes a los que les había ido muy bien.

Conservan la casa, aunque me indica que ya no disponen de la misma cantidad de dinero de la que un día disfrutaron y que, solamente el mantenimiento de la vivienda y sus jardines, supone un importante desembolso todos los años. Observando esos enormes jardines, imagino las posibilidades que ofrecen y lo que disfrutaría yo cuidando de ellos y añadiendo uno o dos pequeños invernaderos para cultivos ecológicos. No necesitarían ni siquiera comprar comida.

—¡Covadonga!—grita su madre saliendo a recibirnos en cuanto aparca su Audi descapotable.

Al lado de su madre aparece una mujer de unos ochenta años que Cova me dice que es su abuela paterna que se quedará en la casa una temporada. La observo con detenimiento y tiene unos bellísimos ojos azules, ahora rodeados de arrugas, pero ha debido ser una mujer muy hermosa en su época. Presenta todavía una belleza salvaje que me recuerda de algún modo a la que desprendía Patricia.

—Mamá, esta es Ana, la amiga del trabajo de la que te hablé—explica mi novia mientras abraza a su madre y abuela.

Me quedo totalmente confusa, parada sin saber qué decir, hasta el punto de que creo que tanto su madre como su abuela deben haber pensado que soy idiota. Sin embargo, esa confusión no es nada en comparación a la que siento cuando su madre me conduce a una diminuta casa de invitados al otro lado del jardín, separada por completo de la vivienda principal.

—¿Me puedes explicar qué coño es todo esto?—gruño una vez que su familia se marcha y nos dejan solas.

—No te pongas así, tengo una familia muy conservadora y prefiero que se vayan enterando poco a poco, sobre todo con mi abuela en la casa. Tiene ya ochenta y dos años y acaba de ver morir a su hijo, no quiero darle más disgustos—explica encogiéndose de hombros.

—¿Yo soy un disgusto?—me quejo dejando escapar un bufido.

—No es eso, Ana. Sabes que te quiero mucho, pero conozco a mi familia y sé cómo piensan. Tenemos que ir poco a poco. Con mi padre en vida, ni siquiera me hubiese atrevido a traerte a mi casa, no tienes ni idea de la que le montó a mi hermana cuando le dijo que era lesbiana. La echó de casa, literalmente, y eso que solamente tenía dieciocho años. Es una ironía que haya sido precisamente ella la que le ha cuidado en sus últimos días. Tiene un corazón de oro.

—Joder, lo que tú digas—mascullo haciendo una mueca de disgusto.

—Será incluso mejor, ya verás, la casa de invitados está muy lejos de la vivienda principal, no nos escucharán cuando me escape por la noche a verte—explica intentando convencerme.

Prefiero no discutir, en vista de que acabamos de llegar, pero me invade un disgusto muy difícil de explicar con palabras. Esperaba muchísimo de este viaje, tenía muchas ilusiones y ya no me siento a gusto. Si ahora mismo me dijese que volvemos a Santander, lo haría encantada.

—¿No está tu hermana?—pregunto intentando llevar la conversación en otra dirección antes de que acabemos discutiendo.

—Se ha peleado con mi madre. Ha traído una camada de gatos casi recién nacidos que estaban abandonados. La madre de los gatitos había sido atropellada por un camión o algo así y ella los recogió. Desde que era pequeña siempre ha tenido la manía de recoger animales abandonados a pesar de que mis padres se lo tenían prohibido. Había veces que esta casa parecía un zoo— explica Covadonga llevándose una mano a la frente.

—En eso coincidiríamos—reconozco con una sonrisa—si yo pudiera, recogería todos los animales abandonados de este mundo.

—Mi hermana tiene un gran corazón. El hecho de que últimamente no nos llevemos bien no indica que no reconozca que es muy buena persona o el tremendo sacrificio que ha hecho abandonando su vida para cuidar de mi padre en sus últimos meses—admite Cova haciéndome un gesto para que la siga hasta la vivienda principal.

El camino de unos quinientos metros a través de los jardines es maravilloso. Están bastante cuidados, teniendo en cuenta el tamaño que tienen y el dinero que debe costar su mantenimiento. Desde donde estamos, se divisa la imponente fachada principal de la vivienda, cada uno de sus detalles diseñado para impresionar a los visitantes.

Imagino que a la familia de mi novia se le ha pegado un poco el espíritu de la casa, también ellos quieren mantener unas apariencias que provienen de una época ya olvidada.

—¿Es que no vas a saludar a tu hermana, Covadonga?—inquiere la abuela dándole un cariñoso golpe en el hombro.

En ese momento, una chica rubia vestida con una sudadera gris algo grande y unos preciosos ojos azules se gira helándome la sangre.

—Ana, esta es mi hermana pequeña, Patricia, especialista en meterse en líos desde que era una niña. Patri, te presento a Ana, una amiga del trabajo.

—Hola Ana, encantada de conocerte—saluda Patricia sin que yo sea capaz de reaccionar.

Capítulo 20

ANA

"Encantada de conocerte". Esas tres palabras atraviesan mi corazón como una daga. Mi cuerpo tiembla sin saber cómo reaccionar, mis manos cubiertas de sudor al tiempo que siento un pequeño mareo al saludarla.

Por unos instantes estoy desubicada, sin poder comprender lo que está pasando. ¡Joder! ¿De todas las personas de este mundo Patricia tenía que ser la hermana pequeña de mi novia?

Apenas soy capaz de describir el cúmulo de sensaciones en mi interior. Angustia, ira, rabia, nerviosismo. El tiempo parece haberse detenido y todo lo que hay alrededor desaparece, solo quedamos Patricia y yo. Ojalá la tierra se abriese y me tragase en este mismo instante. Mierda, si es una jodida pesadilla, quiero despertarme ya.

Ahora entiendo esa mirada de Cova cuando está excitada, los pequeños detalles que me recordaban a ella, aunque la manera de ser de ambas no puede ser más diferente. En todo el tiempo que estuvimos juntas, Patricia jamás quiso hablar de su familia. Se sentía

162

avergonzada por ellos y ahora empiezo a entender por qué, y más sabiendo que su padre la echó de casa con tan solo dieciocho años, todo por ser lo que él consideraba "diferente".

Lucho por retener las lágrimas que comienzan a escaparse de mis ojos y debo preguntar dónde se encuentra el baño fingiendo que estoy algo mareada.

Covadonga me acompaña hasta el aseo y, al pasar junto a Patri, esta aparta la mirada, cosa que agradezco con toda mi alma. Jamás me lo hubiese esperado, ahora todo se complica de manera infinita. ¿Cómo explicarle a mi novia que no solamente la he engañado con mi ex, sino que se trata de su propia hermana? Le romperé el corazón para siempre. Es imposible que pueda perdonarme.

Apenas escucho las explicaciones de Covadonga mientras me enseña la enorme casa. Sé que debería estar prestando más atención a lo que orgullosamente relata, pero cada vez que en alguna de las anécdotas aparece Patricia, un cuchillo atraviesa mi corazón. Es como si el mero hecho de escuchar su nombre me hiciese agonizar.

Esta era la parte de su vida que Patri se había afanado por ocultarme, aquella que le causaba tanto dolor que ni siquiera yo merecía conocerla. Y ahora, camino junto a Covadonga entre esas paredes llenas de historia.

—Ana, ¿te encuentras bien?—indaga mi novia al ver que he perdido el color.

En cuanto intento abrir la boca para contestar, no logro emitir ni una sola palabra y mi cabeza da vueltas hasta el punto en que me tengo que apoyar en la pared para no caer al suelo.

—¿Quieres que llame a un médico?—insiste Covadonga.

—Es solo una bajada de tensión, me vendría bien descansar un poco—respondo todavía con las paredes girando a mi alrededor.

En vista de que sigo mareada, Cova me lleva a su habitación que está mucho más cerca que la casa de invitados y me deja descansando con la luz apagada y las piernas en alto.

—Debo llevar a mi madre hasta Llanes a comprar unas cosas, estaré de vuelta enseguida—me asegura besando mi frente al tiempo que se despide.

Lloro abrazada a la almohada en cuanto abandona el dormitorio. Quiero explicárselo, contarle lo que ha pasado, pero, si ya antes era difícil, ahora mismo estoy aterrorizada. Mi cuerpo tiembla solamente de pensar en el daño que le voy a hacer cuando se entere. Mi estómago se revuelve con el sentimiento de culpa, los pulmones me queman, ahogada en mi propia desesperación sin ver una salida posible al desastre que he causado.

Intento relajarme, pero el dolor en mi interior es demasiado intenso, hasta el punto en que debo levantarme para vomitar en el baño de la habitación. Al pasar frente al espejo, apenas reconozco a la mujer que se refleja en él; pálida, con los ojos rojos e hinchados de llorar, si esto es el karma lo tengo bien merecido.

Agarrando con fuerza el inodoro, vomito entre intensas arcadas el ligero desayuno que hemos hecho por el camino hasta que siento unas manos familiares sujetando mi melena para que no me manche.

—Tranquila, tómate tu tiempo, estoy aquí, a tu lado— escucho rompiéndome el corazón.

PATRICIA

—Déjame sola, Patri, por favor—se queja, intentando apartarme de un manotazo.

La rabia de sus palabras corta con más profundidad de lo que lo haría cualquier cuchillo. Nunca en el tiempo que habíamos estado juntas me había hablado con esa ira, y jamás pensé que dolería tanto.

—Te debo una explicación—indico mientras le acerco una toalla para que se limpie.

—¿Igual que la explicación que me has dado la última vez que nos vimos?—recrimina Ana, cada una de sus palabras lacerando mi alma.

Las lágrimas que brotan de mis ojos me nublan la vista y observarla en este estado por mi culpa es más de lo que puedo soportar. Siempre la he querido con todo mi ser, nunca he dejado de hacerlo, pero mi padre me necesitaba en su último suspiro de vida y no podía defraudarle; no sabiendo que no le quedaban más que unos pocos meses.

No valoré el daño que la haría, debí darle una explicación, pero no quería que se viese envuelta en la hipocresía de mi familia y tomé la horrible decisión de marcharme sin decir nada, sin valorar que, tarde o temprano, ella podría rehacer su vida con otra persona.

—Tenemos que hablar, por favor—insisto acariciando su brazo izquierdo.

—¿Hablar de qué?—responde agitada, apartándome de nuevo con otro manotazo—. ¿De cómo me has abandonado dos veces? ¿De cómo has vuelto hace dos semanas a mi casa para follarme y luego marcharte de nuevo? ¿Sabías que estaba saliendo con tu hermana? Si es una especie de competición con Covadonga no quiero formar parte de ella.

—No, he vuelto a tu casa porque sigo enamorada de ti, porque te necesito más que el aire que respiro, porque eres lo que más quiero en este mundo. Sé que no he debido hacerlo, pero no conseguía pensar con claridad—me disculpo entre sollozos.

—Que no pensabas con claridad está muy claro, lo malo es que yo tampoco. Todavía no entiendo cómo me he dejado llevar esa noche—confiesa apartando la mirada y rompiéndose por dentro.

—Lo siento, joder, de verdad, Ana—me lamento mordiendo mi labio inferior.

—Dime la verdad de una puta vez, por favor, porque conseguirás que me vuelva loca, ¿por qué coño me has dejado sin dar explicaciones?—grita sin importarle si alguien pudiera escucharnos.

—Para cuidar de mi padre. Sabía que se moría, apenas le quedaban unos meses.

—¿Y no podías decírmelo? ¿No podías haberme hablado de tu familia?—se queja Ana dando un fuerte golpe a la pared.

—No podía, siempre he preferido mantenerte alejada de ellos. Tampoco es que pudiera traerte a casa, mi padre me había echado de aquí cuando tenía dieciocho años, cuando les dije que era lesbiana. Él odiaba todo lo que yo representaba, para él era una aberración. Estuve deambulando por todo el norte de España hasta que acabé en Santander y te conocí. Tú has completado mi vida, nunca he sido más feliz con nadie, pero era mi padre y se estaba muriendo—confieso secando las lágrimas con el reverso de mi mano.

—¿Y eso tiene que hacerme sentir mejor? ¿Debo darte las gracias por haberme librado de las ideas medievales de tu familia? ¿O a tu hermana por presentarme como a su amiga del trabajo y enviarme a la casa de invitados? Joder, Patri, ¿tú te estás escuchando?—vocifera agitada.

—Te he dicho que lo siento—respondo avergonzada con tan solo un hilo de voz.

—¡Mierda! Patricia, es que luego has vuelto a mi casa hace dos semanas y hemos follado toda la noche, y no soy capaz de confesárselo a tu hermana, sé que le voy a romper el corazón. ¿Tú sabías que estaba saliendo con tu hermana?—ladra a voz en grito.

—¿De qué coño estáis hablando?—pregunta una voz entrecortada a nuestras espaldas justo cuando estoy a punto de contestar.

Ambas nos quedamos petrificadas al escuchar a mi hermana en la puerta de la habitación. Intercambiamos una rápida mirada y el pánico en los ojos de Ana debe ser similar al que ella ha visto en los míos.

Respira con dificultad mientras su rostro ha perdido todo el poco color que le quedaba. Me tapo la boca con la mano derecha al tiempo que me giro hacia mi hermana, incapaz de mirarla a los ojos, sabiendo que esta vez le he hecho tanto daño que jamás será capaz de perdonarme.

—¿Ella…ella es tu ex?—pregunta Covadonga dirigiéndose a Ana—. Joder, todo este tiempo he estado aguantando que no pudieses sacar a tu jodida exnovia de la cabeza y era mi propia hermana?

—Cova, yo no lo sabía—se disculpa Ana entre sollozos—me he enterado de que era tu hermana al verla esta mañana.

—¿Y os habéis vuelto a acostar hace dos semanas? ¿Mientras mamá y la abuela estaban preocupadas porque habías desaparecido?—inquiere chillando, esta vez dirigiéndose a mí.

—La culpa ha sido mía—admito tragando saliva en un último y desesperado intento por salvar su relación.

—¡Tú cállate!—espeta mi hermana temblando, señalándome con su dedo índice—. No vuelvas a hablar conmigo nunca más en toda tu puta vida. Tienes la habilidad de joder todo lo que tocas, no me extraña que papá te echase de casa.

No sé si afortunadamente o por desgracia, pero mi madre detiene la trifulca al acercarse a nosotras alertada por los gritos. Al verla, Covadonga abandona el dormitorio con un fuerte bufido, seguida de Ana. Instintivamente, la agarro por el codo intentando frenarla, pero me aparta de un empujón.

Ante la incrédula mirada de mi madre, abandono yo también el dormitorio de mi hermana para encerrarme en el mío y romper a llorar. La cagada ha sido sencillamente histórica, todas mis decisiones han sido erróneas. He debido explicarle a Ana la situación de mi padre, no salir huyendo. Jamás debí acostarme con ella hace dos semanas. Y lo que menos me esperaba es que mi hermana apareciese justo detrás de nosotras en lo peor de la discusión.

Capítulo 21

PATRICIA

—Ni siquiera puedo mirarte a la cara—grita mi hermana en el dormitorio contiguo al mío.

—Cova, por favor, vamos a hablarlo con calma—responde Ana entre sollozos.

Me voy rompiendo por dentro mientras dirijo la vista a algún punto indeterminado del techo, abrazando mis rodillas. Mi hermana y la que sigue siendo el amor de mi vida discuten a gritos en la habitación de al lado sin darse tregua. Cada chillido, cada comentario hiriente, es una daga que atraviesa mi corazón, consciente de que todo ha sido por mi culpa.

No he debido haberme plantado en su casa hace dos semanas, no después de haberme marchado como lo hice, esa fue la gota que colmó el vaso. Es cierto que Ana podría haberme dicho que no, al fin y al cabo ella estaba saliendo con Covadonga, pero estaba relativamente segura de que no lo haría. Sé que, en el fondo, ella siente lo mismo por mí que yo siento por ella, que el vínculo entre nosotras sigue intacto, por mucho que ahora mismo esté con otra mujer.

—¿Qué es lo que has hecho esta vez, Patricia?— pregunta mi madre llena de dolor, con sus ojos bañados en lágrimas.

—Ahora no estoy de humor, mamá, déjame tranquila—me quejo tapándome la cara con la almohada.

—¡Patricia Díaz-Rábida! Necesito que me digas qué es lo que está pasando aquí, preciso comprenderlo. No puedo ver a mis dos hijas en esta situación y sé que tú eres la culpable de esto. ¿Qué pensarán ahora en el trabajo de tu hermana? Jamás en mi vida había pasado tanta vergüenza—reprocha mi madre acalorada.

—¿Vergüenza de qué? ¿De que tu perfecta hija mayor esté discutiendo con su novia? Porque a estas alturas ya te habrás dado cuenta de que no es una amiga del trabajo, ¿verdad?—espeto con un gesto de disgusto.

—¡Me vas a llevar a la tumba, Patricia! ¡Si tu padre levantara la cabeza…!

—Mamá, si mi padre levantara la cabeza querría volver a morirse al ver que su hija perfecta es tan lesbiana como la oveja negra de la familia, solo que ella lo esconde y yo no—la interrumpo con un fuerte bufido.

172

Antes de que mi madre pueda contestar, salgo de la habitación a grandes zancadas en dirección al jardín. Al menos, no intenta seguirme, cosa que agradezco. Bastantes problemas tengo en estos instantes como para tener a mi madre echándome la culpa de todo, a pesar de que en este caso sea verdad.

Caminando a través de los jardines, me detengo frente a un pequeño estanque a la sombra, un remanso de paz al que me encantaba venir cuando quería estar sola.

—Yo también me acosté con una mujer cuando era joven, una noche—escucho a unos metros de mí.

—¡Abuela! ¡No quiero escucharlo!—me quejo tapándome los oídos.

—En aquella época era mucho peor—insiste mi abuela—a mí no me hubiesen echado de casa como a ti, tu bisabuelo me hubiese matado, así que, al final, me acabé casando con tu abuelo. Le tenía cariño, pero nunca sentí lo que tú sientes por esa chica.

Sacudiendo la cabeza para sacar la imagen de mi mente, me siento al lado de mi abuela, apoyada en su hombro como cuando era una niña.

—Siempre has sido mi nieta favorita, eres un espíritu libre y estás llena de bondad. Tu hermana mayor es como tu madre, una estirada a la que parece que le han metido un palo por el culo—bromea mi abuela ante mi asombro—. He discutido un montón de veces con tu padre, que en paz descanse, cuando te echó de casa hace años, pero ya sabes lo cabezota que era.

—No sabía que conocieses el motivo—afirmo con sorpresa.

—Si tu madre hubiese tenido dos dedos de frente se habría opuesto. ¡Por el amor del cielo, tenías tan solo dieciocho años, eras poco más que una niña!—reprocha mi abuela acariciando mi pelo.

—Mi madre lo llevó peor que mi padre, y verás ahora que se ha enterado de que a mi hermana también le gustan las mujeres—bromeo negando con la cabeza.

—Y después de todo el sufrimiento que te causaron, aun así has vuelto para cuidar de tu padre en sus últimos meses de vida. Tienes un gran corazón, algo que no abunda en nuestra familia—expone mi abuela con tristeza.

Le explico que no ha servido de nada, más bien todo lo contrario. Mi decisión de no contarle a Ana la verdadera razón ha sido el detonante de todos los problemas, aunque yo solo quería tenerla alejada de los prejuicios de mi familia.

—Dime una cosa, ¿por qué has vuelto hace dos semanas con ella para estar solo una noche?—pregunta con interés, clavándome su intensa mirada.

—Porque en mis peores momentos, cuando todo está oscuro, Ana siempre ha sido un faro que me ilumina y consigue que salga adelante. No he pensado en las consecuencias, solo cuando me encontré allí me di cuenta por unas fotos de que estaba con Covadonga, pero ninguna de las dos podíamos ya detenernos—confieso suspirando—. Ojalá pudiésemos haber seguido juntas, abuela, pero comprendí que no podía interponerme entre mi hermana y ella, bastante había hecho ya. Por eso me volví a marchar.

—¿No has pensado en ningún momento que un día como hoy tendría que llegar? Algún día os encontraríais las tres, ¿no?—pregunta mi abuela besando mi frente.

—En esos momentos no lo pensé. Después sí, pero ya era tarde—reconozco rompiendo de nuevo a llorar.

—Soy vieja, pero no soy idiota, Patricia. He vivido mucho y me gusta observar a la gente. Esa chica no quiere a tu hermana, puede haber cariño, como tenía yo con tu abuelo, pero no hay pasión. Lo veo en sus ojos. Cuando las cosas se calmen intenta hablar con ella—aconseja estrechándome entre sus brazos.

—Mi madre y mi hermana me matarían—admito encogiendo los hombros.

—Tu madre es una idiota y a tu hermana se le pasará tarde o temprano. Es buena chica, pero tiene que poner su cabeza en orden, debe decidir si sus sentimientos son más importantes que lo que la gente diga—aclara mi abuela con una entrañable sonrisa.

Agradeciendo sus palabras de apoyo, me dirijo de nuevo a la casa a encerrarme en mi dormitorio cuando, de pronto, vuelve a llamarme con prisas.

—Ya casi se me olvidaba. Tu padre me ha dado una carta para ti poco antes de morir. Me encargó que te la entregase en el momento en que más lo necesitases, lo que no me esperaba es que ese momento llegase tan pronto—indica entregándome un arrugado sobre que saca de uno de sus bolsillos.

Dándole las gracias, me quedo sorprendida mirando a la carta, sin saber muy bien qué decir.

—Léela con calma—sugiere mi abuela mientras me dirijo de vuelta a la vivienda principal.

Capítulo 22

PATRICIA

El silencio reina por fin en la casa. Las discusiones entre Ana y Covadonga han llegado a una tregua, o al menos eso parece, aunque a mí se me han hecho interminables.

Permanezco durante horas sentada sobre mi cama, abrazando las rodillas, con la carta de mi padre aplastada entre mis manos mientras escucho cómo se echan a la cara una y otra vez todo lo que ha pasado. No he sido capaz de leerla mientras discutían. No porque sus riñas supongan una distracción, sino porque, en el fondo de mi corazón, sé que me merezco el dolor que me infringe cada una de sus palabras. Merezco el castigo de cada hiriente sílaba que sale de sus bocas, porque yo tengo toda la culpa.

Dejo escapar un largo suspiro cuando las cosas se calman y escucho los pasos de Ana saliendo de la vivienda principal en dirección a la pequeña casa de invitados. Mis manos tiemblan al tiempo que rompo el sobre que cierra la carta, sin saber muy bien qué puedo esperar y mis ojos se llenan de lágrimas al observar la letra de mi padre y empezar a leer.

"*Para mi pequeña Patri.*

Sé que ya eres una mujer adulta, hace tiempo que has dejado de ser una niña. Quizá has madurado demasiado rápido por mi culpa, espero que algún día sepas perdonar el daño que te he hecho, pero para mí, siempre serás mi pequeña Patri, aunque en los últimos años nos hayamos distanciado.

Has heredado mi carácter y el de tu abuela; tozuda como una mula, incapaz de dar tu brazo a torcer o de abrir tus emociones por completo. Solamente puedo culparme a mí mismo de ello. No he sido precisamente un apoyo para ti cuando, a los dieciocho años, abriste tu corazón y nos hablaste de tu condición sexual. Habías confiado en nosotros para revelarnos una parte muy importante de ti y solamente fuimos capaces de reaccionar con incomprensión y prejuicios tontos. En estas últimas horas de vida lo he comprendido, aunque sea ya demasiado tarde y no pueda enmendar el daño que te he hecho.

Por favor, no cometas los mismos errores que yo, escucha a tu corazón y lucha por lo que de verdad quieres sin importarte lo que opine el resto de la gente. Quiero que sepas que estoy orgulloso de la mujer que has llegado a ser sin nuestra ayuda o, más bien, a pesar nuestro. Eres amable y generosa, con un corazón de oro, la persona

178

más dulce que he conocido. Llevas tanto amor en tu interior que, a veces, eres incapaz de manejarlo.

Me gustaría decirte todo esto de palabra, pero es demasiado doloroso. Solo espero que tu abuela elija el momento adecuado para entregarte esta carta, ese instante en el que más la necesites. Ojalá pudiese volver al pasado y enmendar mis errores, ojalá pudiésemos empezar de nuevo, pero no es posible.

Por favor, Patri. No cambies, continúa siendo la misma persona llena de amor que eres ahora y persigue tus sueños. No dejes que nadie te los arrebate. Ahora que mi muerte se acerca, en estos momentos en los que percibo su oscuridad acercándose, comprendo que nuestro mayor arrepentimiento es por las cosas que no hemos hecho, el dolor de no haber perseguido nuestros sueños. No cometas tú el mismo error mientras puedas.

Siento el daño que te he causado, pero quiero que sepas que te quiero y te he querido siempre.

Un beso,

Papá"

Abrazo la carta contra mi pecho entre sollozos, el cuello de mi camiseta empapado de lágrimas, su sabor salado en mis labios. Me apetece abrazar a mi padre, decirle que le perdono a pesar del daño que me ha hecho cuando me echó de la casa. Asegurarle que estoy bien, que seré fuerte, que lucharé por lo que de verdad quiero, aunque sepa que es imposible.

La suave llamada de unos nudillos sobre la puerta me devuelve a la realidad. Son las tres de la mañana y no sé si temo más la visita de Covadonga o de Ana.

—¿Qué quieres, Cova?—gruño al ver a mi hermana asomarse a la puerta.

—Si te soy honesta, ni siquiera yo misma lo sé—admite ella entrando en mi dormitorio y sentándose a mi lado en la cama como cuando éramos unas adolescentes que compartíamos secretos.

—No me quedan energías para discutir, de verdad, Cova, no esta noche—me quejo abrazando mi almohada y negando con la cabeza.

—No quiero discutir, solamente quiero hablar—insiste ella con un hilo de voz.

Permanecemos unos instantes sin decir nada, nuestras miradas fijas sin saber cómo comenzar, nuestras manos temblando, el corazón en un puño hasta que, tras un largo suspiro, me decido a romper el incómodo silencio.

—Sé que es demasiado tarde, pero lo siento. De verdad que lo siento, si es que te sirve de algo—le aseguro apartando mi mirada.

—Intento comprenderte, Patri, pero no puedo. No puedo entender nada de lo que haces desde que te has ido de la casa a los dieciocho—expone mi hermana con una mueca de tristeza.

—¿Desde que me he ido? ¿Tú sabes lo injusto que es el que tus padres te separen de ellos por ser tú misma? ¿Tienes una idea del miedo que he pasado con dieciocho años teniendo que buscarme la vida por mi cuenta solo porque mis padres eran unos retrógrados? Ah, no, ¡claro que no lo sabes! porque tú tienes treinta años y todavía ni siquiera les has dicho que tienes una novia—le recrimino con un gesto de disgusto—. Pero nunca te he dicho nada porque cada persona debe actuar como quiera, sin recibir presiones en ningún sentido.

—Tenía.

—Bueno, pues tenías. Conociendo a Ana, puedo imaginar el dolor que habrá sentido al presentarla como tu "amiga del trabajo"—reprocho remarcando esas últimas palabras.

—Prácticamente habías dejado de hablarme. Estuvimos muy unidas hasta ese momento—insiste mi hermana.

—Mi vida estaba en la mierda, Cova, eras tú la que tenía que haberme apoyado. No sabes lo mal que lo he pasado esos primeros años y luego, en Santander conocí a Ana. Ella fue como un faro que me guiaba en un inmenso mar de oscuridad, apareció justo en el momento en que me estaba ahogando. En el mismo instante en que me sonrió me enamoré de ella y nunca he dejado de amarla con toda mi alma.

—Le has escondido a tu familia—reprocha Covadonga.

—¿Qué familia quieres que le mostrara? ¿La misma que me echó de mi casa por ser lesbiana cuando tenía dieciocho años? Estaba mucho mejor sin conoceros, la verdad. Cuando me enteré de que a papá le quedaba poco de vida decidí venir a cuidarle, al fin y al cabo seguía siendo mi padre, y sabía que tú, la hija perfecta, no lo harías.

—Debiste decírselo a Ana, no desaparecer sin dar explicaciones—me recrimina.

—Ese es el único punto en el que estamos de acuerdo. Ese y en que no debí acostarme con ella hace dos semanas—confieso bajando la mirada avergonzada.

—Eso fue una puñalada por la espalda—gruñe mi hermana dejando escapar una gran cantidad de aire.

—Lo fue. Estaba rota, destrozada. Comprendí de pronto que había dejado escapar al amor de mi vida, a mi alma gemela, a la persona que más he querido. Era incapaz de pensar con claridad. Sé que lo he estropeado todo y lo siento—confieso cerrando los puños con fuerza.

Covadonga aparta la mirada, no queriendo mirarme a los ojos, consumida por el dolor de lo que ha ocurrido en las últimas horas. En su gesto veo que le gustaría seguir discutiendo, pero también se ha quedado sin fuerzas, la situación se nos ha ido de las manos.

—Me duele haberla abandonado sin explicación, Cova. Besé su frente cuando se fue a trabajar y desaparecí. He sido una cabrona, pero, en esos momentos, pensé que podría evitarnos sufrimiento a ambas—reconozco rompiéndome por dentro.

—Y en cambio, has logrado crear aún más sufrimiento—insiste Covadonga.

—Sí, lo he hecho. Papá murió sin decirme nada después de cuidarle varios meses. Joder, me ha dejado una puta carta explicándomelo todo y disculpándose que no he recibido hasta hoy, pero no ha sido capaz de decírmelo a la cara. No sabía qué hacer, estaba rota, destrozada, Ana era mi único punto de referencia, así que cogí el coche y me fui hasta su casa. Mi idea era quedarme con ella para siempre, pero cuando vi tus fotografías junto a ella en la habitación, comprendí que estabais saliendo y desaparecí de nuevo para no hacerte daño— admito abriendo las manos.

—Mierda, Patri, cada vez que haces algo para no hacer daño es mucho peor, aunque tus intenciones sean buenas—recrimina mi hermana con un tono más calmado.

—Lo sé, y lo siento. Junto con la abuela, Ana y tú sois las personas a las que más quiero y os he destrozado la vida. Entiendo que no quieras volver a dirigirme la palabra—suspiro dejando escapar nuevas lágrimas.

Covadonga no dice nada, se queda un buen rato solo observándome llorar con desconsuelo, sollozando mientras limpio las lágrimas con el reverso de mi mano hasta que, de pronto, coge mi mano entre las suyas apretándola con fuerza.

—Creo que ya estás sufriendo bastante por lo que has hecho. No sé el tiempo que tardaré en perdonarte, si es que algún día puedo llegar a hacerlo, aunque, con quien de verdad te tienes que disculpar es con Ana—susurra con un hilo de voz antes de abandonar la habitación cabizbaja para dirigirse a su dormitorio.

Capítulo 23

ANA

Decir que no he pegado ojo en toda la noche sería quedarse muy corta. No sé a qué hora he terminado de discutir con Covadonga, posiblemente cerca de las tres de la madrugada y, al volver a la pequeña casa de invitados, a pesar de estar ya sin fuerzas, no he podido conciliar el sueño.

Permanezco tumbada en la amplia cama, ya sin lágrimas con las que poder llorar, deseando que el edredón cobre vida y me trague como si fuese una pesadilla, esperando de ese modo que cese el dolor en mi corazón.

Apenas puedo abrir los ojos, mis párpados hinchados de tanto llorar. No sé qué ha sido peor, si la pelea con Covadonga o el silencio que le siguió. Lo que sí sé es que lo nuestro se ha acabado para siempre.

Nos hemos dicho cosas de las que estoy segura que hoy nos arrepentimos, pero quedarán para siempre en nuestro interior. Ha llegado a decirme que nunca la he querido, que solamente era un plan B mientras intentaba olvidar a Patricia y prefiero no recordar la palabra que me ha llamado por acostarme con su hermana.

En el fondo, puede tener algo de razón. Sí, la he querido, pero nunca con la pasión con la que amé a Patricia. Jamás existió ese vínculo entre nosotras dos. Engañarla con Patri mientras estábamos saliendo fue la gota que colmó el vaso. Joder, ojalá pudiese volver atrás.

Tras lavarme la cara en un torpe intento por despejarme, me dirijo hacia la vivienda principal para desayunar algo, rogando al cielo no encontrarme con nadie. Son tan solo las siete de la mañana y confío en que todos estarán durmiendo. Hoy mismo tomaré un autobús para volver a Santander y el lunes presentaré una carta de dimisión en los invernaderos, no podría trabajar en el mismo sitio que Cova. Por encima de todo, espero no encontrarme a la madre de Covadonga y Patri, no sabría ni cómo empezar a explicarle que todo este embrollo se ha ocasionado por acostarme con sus dos hijas.

"Te odio", me digo a mí misma cuando el espejo de la entrada devuelve mi reflejo de camino a la cocina. El silencio de la casa es sobrecogedor y cada uno de mis pasos retumba en mis oídos, imagino que todos estarán demasiado cansados como para madrugar y solamente mi caminar rompe la calma reinante.

—Buenos días, menos mal que alguien se levanta temprano en esta casa—escucho nada más cruzar la puerta de la cocina.

—Doña Irene, ¿qué hace despierta tan temprano?—saludo sorprendida al ver a la abuela de mis dos exnovias sentada en silencio.

Me mira con ojos curiosos, como queriendo adivinar cómo me encuentro, aunque los párpados hinchados de llorar deben darle una buena pista de que no he pasado muy buena noche.

—¿Cómo te gusta el café?—pregunta levantándose de la silla y acercándose a la cafetera.

—Solo, por favor, creo que me vendrá bien una buena dosis de cafeína.

Sirve el café con su mano temblorosa, pero sin perder esa entrañable sonrisa que conserva siempre, sus bonitos ojos azules fijos en mí y me pregunto si se ha enterado de algo de lo que ha ocurrido el día anterior o vive ajena a lo que ha pasado.

—Mi nieta la ha armado buena esta vez—apunta de pronto asintiendo lentamente con la cabeza.

—¿Cuál de ellas?—respondo sin pensar arrepintiéndome nada más terminar la frase.

—La que de verdad te importa. He visto cómo miras a ambas y solo amas a una de ellas—afirma con seguridad cogiendo mi mano entre las suyas.

Me quedo petrificada sin saber qué contestar. Pensaba que no se había enterado de nada y, en cambio, parece mucho más al día que su hija. Tampoco es cierto que no me importase Covadonga como ella dice, simplemente nunca llegamos a tener el mismo vínculo que con Patricia.

—Creo que la culpa ha sido tanto mía como de ella—reconozco asumiendo mi parte.

—Bobadas. Mi nieta es todo corazón, no hay nadie más noble, pero ha hecho dos tonterías imperdonables, sobre todo haber dejado a alguien que la quería tanto como tú—dice ante mi sorpresa.

—No sé lo que pensará ahora mismo de mí, doña Irene—admito llevándome una mano a la frente al observar que está al tanto de todo lo que ha pasado.

—Supongo que no puedo estar muy contenta con la noche loca que tú y mi nieta habéis tenido hace dos semanas, pero sois jóvenes. Eso sí, Covadonga tardará mucho en perdonaros—continúa la abuela de Patri.

Al escuchar esa frase de la boca de una señora que pasa de los ochenta años, un calor recorre todo mi cuerpo y no sé muy bien dónde meterme.

—¿Aún quieres a mi nieta?

—Me ha hecho mucho daño, pero todavía la quiero, ese es el problema—confieso encogiéndome de hombros.

—¿Cuál es el problema entonces? ¿Crees que no podréis volver a tener la misma relación que un día habéis tenido?—pregunta clavándome sus ojos azules.

—No sería fácil recuperar ese nivel de confianza, pero creo que podríamos hacerlo. El problema es cómo me presento ante el resto de la familia después de lo que he hecho. ¿Qué pensará su hija de mí? ¿Cómo podré volver a mirar a la cara a Covadonga? No sé ni cómo usted tiene la paciencia de dirigirme la palabra, doña Irene—admito bajando la mirada avergonzada.

—Ayer, mi nieta me ha dicho que para ella tú eras un faro de luz en la oscuridad, la persona a la que más ha querido. Estaba completamente devastada por lo que te ha hecho, pero debes entender los problemas que ha tenido en esta familia. Con tan solo dieciocho años, el idiota de mi hijo, que en paz descanse su alma, la echó de la casa por atreverse a confesar su condición sexual—expone la anciana apretando mi mano.

Temblando y con los ojos como platos, escucho la historia completa de cómo Patricia fue obligada a abandonar la vivienda familiar el día que admitió que le gustaban las mujeres. Cómo se tuvo que buscar la vida desde los dieciocho años y aun así volvió para cuidar a su padre en sus últimos meses de vida.

Entiendo ahora sus razones para no haber querido nunca presentarme a sus padres y admiro su valentía, algo que Covadonga no ha tenido, escondiendo su condición para no contrariar a su familia. Aun así, no sé cómo puedo empezar a perdonarla.

Agradeciendo a doña Irene sus palabras, tomo el camino de regreso a la casa de invitados despidiéndome para siempre de los preciosos jardines y de sus árboles centenarios. El autobús saldrá en un par de horas y casi prefiero salir de la casa sin tener que despedirme de nadie.

Nuevas lágrimas ruedan por mis mejillas mientras preparo la maleta cuando escucho el sonido de unos pasos sobre la gravilla segundos antes de que alguien llame a la puerta. Mirando al cielo, suspiro hondo, deseando que sea doña Irene, aunque sepa que eso no es posible, y tiemblo al ver clavados en mí los preciosos ojos azules de Patricia.

—No puedo permitir que te marches—espeta Patri nada más abrir la puerta.

—Me voy—anuncio seca.

—Al menos escúchame, por favor. Déjame que te dé una explicación—ruega cogiéndome por el codo para evitar que le dé la espalda.

—Tu abuela me ha contado todo lo que te ha pasado. Siento mucho que tus padres te tratasen así y admiro que, a pesar de todo, hayas vuelto a cuidar de tu padre cuando se moría, pero no puedo perdonarte—gruño apartando la cara para no verla.

—¿Mi abuela?

—Sí, es la única persona normal de esta familia— replico sin medir mis palabras.

—¿Puedo hacer algo para que me perdones?—inquiere Patri con los ojos humedecidos.

—No.

—Lo eras todo para mí, Ana—insiste cogiendo mis manos entre las suyas.

—Y aun así me has abandonado sin explicación. Entiendo que me quisieras proteger de tu familia, pero podías haberme dicho algo. Ya no te voy a comentar nada de la estupidez que hemos hecho hace dos semanas porque yo he tenido tanta culpa como tú—confieso con un bufido.

—Hace dos semanas se nos fue la cabeza a las dos, pero reconoce que fue increíble—bromea con un guiño de ojo.

Sacudo la cabeza, entornando los ojos sin poder evitar que me saque una sonrisa con su comentario antes de que Patricia tome de nuevo la palabra.

—Ana, hace dos semanas estaba dispuesta a pedirte que volvieses conmigo, pero al ver las fotos de mi hermana en tu dormitorio no me quedó más remedio que volver a marcharme para no hacerle daño. Lo siento—insiste con los ojos llenos de lágrimas.

—Habría vuelto contigo—reconozco sin pensar—eres la persona más dulce y cariñosa que conozco. Nunca he conectado con nadie como lo he hecho contigo, realmente estaba convencida de que eras mi alma gemela, pero no aguantaría otro abandono.

—Te olvidas del sexo—interrumpe sacándome de nuevo una ligera sonrisa.

Me dejo estrechar entre sus brazos, un abrazo sincero, de esos que consiguen que te olvides de todos los problemas. Siento la suave piel de su mejilla sobre la mía, percibiendo el sabor salado de sus lágrimas y mi cuerpo tiembla sin saber cómo reaccionar. La parte más racional de mí quiere apartarla para siempre, aunque mi corazón suplica que la vuelva a dejar entrar en mi vida.

Confusa, me siento sobre la cama sollozando, mis latidos tan fuertes que podrían escucharse a un kilómetro de distancia. Tiemblo con cada suave caricia, me estremezco al sentir sus dedos desabrochando los botones de mi vestido hasta dejar libres mis senos. Inclino la cabeza hacia atrás cerrando los ojos sin saber si quiero que siga o prefiero que se detenga.

Pienso en Covadonga, en su madre, en la imagen que ya tienen de mí y en la que tendrían si alguien nos descubriese ahora mismo. Si tuviese dos dedos de frente detendría esta locura de inmediato. En cambio, mi cuerpo se niega a reaccionar, se resiste a moverse, rindiéndose al placer prohibido de las caricias que estoy recibiendo sobre mis pechos.

Joder, esto es una auténtica locura, tengo que levantarme, debo salir de aquí de inmediato, antes de que sea demasiado tarde, antes de que cometa alguna tontería o de que alguien nos pille. No quiero ni pensar el revuelo que se montaría si alguien nos escucha. Bastante mala fama tengo ya entre esta familia.

—Relájate, la puerta está cerrada con pestillo—me asegura Patricia entre susurros mientras acaricia mi areola con el reverso de su mano al ver que mi mirada se dirige hacia la puerta.

No respondo, solamente dejo escapar un largo suspiro cerrando los ojos y ladeando la cabeza. Un suspiro que habla por mí y lo dice todo.

—Tienes unos pechos preciosos—susurra Patri haciendo círculos sobre mi pezón con su dedo índice.

Tiemblo al escuchar sus palabras, debo parar esto como sea, pero sus preciosos ojos azules clavados en mi rostro y llenos de deseo son más de lo que mi fuerza de voluntad puede manejar.

Al apretar mis pechos entre sus manos dejo escapar un nuevo suspiro, y cuando levanta mi vestido tirando de mis bragas hacia abajo, mi cuerpo entero se estremece.

Acaricia mi pubis con una sensualidad infinita, sus suaves y cálidos dedos parecen una pluma sobre mi piel y consiguen erizar cada pelo de mi cuerpo al acercarse a mi entrepierna.

—Estás muy excitada—anuncia rozando mi vulva sin dejar que sus preciosos ojos se aparten de los míos.

Solamente asiento sin saber ya lo que tengo que hacer, deseando al mismo tiempo que sus dedos me penetren y que mi fuerza de voluntad sea lo suficientemente fuerte como para salir de este sitio manteniendo la poca dignidad que me queda con su familia.

—Shhh, no hagas tanto ruido—susurra Patricia acariciando mi pubis al ver que mis suspiros van en aumento.

Sus manos hacen maravillas sobre mi sexo, son unas caricias tan sensuales que estoy literalmente empapada. Me conoce tan bien que podría llegar a tener un orgasmo sin necesidad de que sus dedos entren en mi interior ni rocen mi clítoris.

Escucho el sonido de unos pasos sobre la gravilla y sus manos se detienen. Mi corazón se para unos instantes y debo taparme la boca con la mano para no chillar, pero pronto sus manos recuperan el movimiento al ver que los pasos han seguido adelante.

Tiemblo, mi cuerpo entero se estremece al sentir dos de sus dedos entrar en mi vagina. Patricia levanta mi pierna derecha para tener un mejor acceso y me penetra a un ritmo constante mientras frota mi hinchado clítoris con su otra mano. Los suspiros van en aumento, pequeños y suaves gemidos apagados rezando para que nadie me escuche.

—Shhh, estás haciendo mucho ruido—indica sin parar de masturbarme, esbozando una preciosa sonrisa en su boca.

Mis piernas tiemblan, las gotas de placer resbalan por su mano y ruedan por mi entrepierna mientras siento un intenso orgasmo formarse en mi interior. Cierro los ojos intentando no gritar de placer, cuando Patricia se detiene, dejando sus dedos quietos en mi interior, interrumpiendo mi orgasmo.

Sé que lo repetirá dos o tres veces más. Me llevará al límite para luego detenerse impidiéndome alcanzar el clímax, volviéndome loca de deseo hasta que, cuando por fin me permita correrme, lo haré con tanta fuerza, será un orgasmo tan largo e intenso que me llevará al paraíso.

Se concentra ahora sobre mi clítoris, alterna suaves círculos sobre él con caricias verticales, ambas a un ritmo constante, haciéndome jadear en busca de aire que respirar hasta detenerse de nuevo justo antes de que me deje llevar.

Acaricia con suavidad mis labios, separándolos entre sus dedos y desviando la atención de mi sensible clítoris, dejándolo descansar antes de volver de nuevo sobre él. Esa dulce tortura que elabora con una maestría única es suficiente para que pierda el sentido.

Sopla sobre mi clítoris, separando la piel que lo cubre para lamerlo suavemente con su lengua. Arqueo la espalda, muerdo el puño de mi mano derecha para no gritar de placer, mi cuerpo temblando sin poder contener más deseo.

Su cálida lengua me lame a una velocidad endiablada y, en cuanto me penetra con dos de sus dedos presionando la parte superior de mi vagina, cierro los ojos y me dejo caer sobre el colchón en un orgasmo que parece no tener fin, presionando sus dedos en el interior de mi sexo en una sucesión de pequeños espasmos de placer.

Patricia sonríe sin romper el contacto visual y besa suavemente mi vulva antes de apretar con los dedos mis labios sobre el clítoris y empezar a masturbarme. Sabe que después de correrme estoy demasiado sensible para un contacto directo, sin embargo, la protección que ofrece la piel de mis labios, le permite seguir estimulando mi clítoris consiguiendo arrancarme un nuevo orgasmo. Es mucho menos intenso que el anterior y demasiado rápido, pero la veloz sucesión es suficiente como para que me olvide hasta de cómo me llamo.

Me abandono sobre la cama, mi cuerpo incapaz de moverse, todos mis sentidos concentrados en los suaves labios de Patricia recorriendo mi cuerpo con lentitud, devolviéndome poco a poco a la realidad como solo ella sabe hacer.

En ese momento sé que, en el fondo de mi corazón, quiero volver a estar a su lado. Estoy dispuesta a arriesgarme y darle una nueva oportunidad. Quiero creer que Patricia no volverá a desaparecer, que estaremos juntas para siempre, que envejeceré junto a ella y que será una madre maravillosa para nuestros hijos.

Tiene un corazón de oro, la misma expresión de la dulzura y, si conseguimos dejar a un lado los condicionamientos sociales de su familia, pienso que lo nuestro puede funcionar. Quizá no sea fácil, tendremos momentos muy complicados, pero las dos estamos dispuestas a hacer los sacrificios que sean necesarios para que nuestra vida en común salga adelante.

Otros libros de la autora

Tienes los enlaces a todos mis libros actualizados en mi blog o en mi página de Amazon.

Si te ha gustado este libro, seguramente te gustarán también los siguientes:

"Infiltrada" y "El asesino del almirante" Volúmenes independientes con la misma protagonista.
Versión Kindle y Kindle Unlimited
Versión en papel

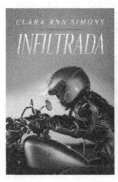 

"Rabell Falls"

Versión Kindle y Kindle Unlimited

Versión en papel

"Flores en otoño"

Versión Kindle y Kindle Unlimited

Versión en papel

"Lágrimas por Paula"

Versión Kindle y Kindle Unlimited

Versión en papel

"Alias Candy" Escrito a cuatro manos con Mónica Benítez

Versión Kindle y Kindle Unlimited

Versión en papel

"Alias Lebrón" Segunda parte de Alias Candy. Escrito a cuatro manos con Mónica Benítez

Versión Kindle y Kindle Unlimited

Versión en papel

¿Ya los has leído? ¿Prefieres otro tipo de libros? Pásate por mi blog para ver la lista actualizada:

https://www.clarasimons.com/2020/04/enlaces-mis-libros.html

Made in the USA
Monee, IL
29 December 2023

50615397R00121